TASCABILI BOMPIANI 478
NARRATIVA

Gesualdo Bufalino

L'UOMO INVASO
E ALTRE INVENZIONI

TASCABILI BOMPIANI

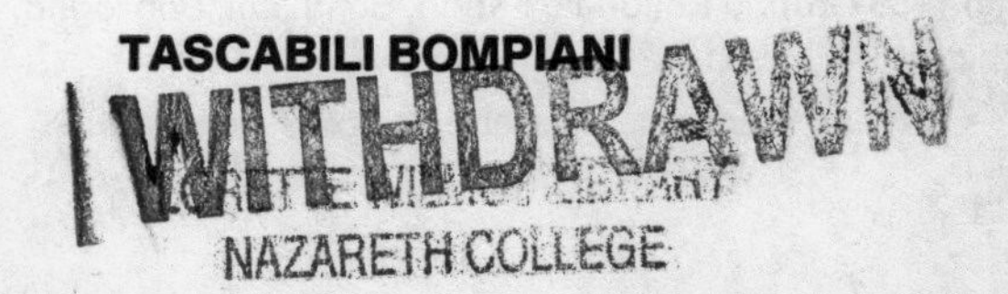

ISBN 88-452-1341-2

Via Mecenate, 91 - Milano

II edizione "Tascabili Bompiani" gennaio 1990

L'UOMO INVASO

Da qualche tempo lo sospettavo, anche se mi mancava il coraggio di parlarne con qualcuno. Ma ora l'evidenza mi sopraffà: io, Vincenzino La Grua, non sono più un uomo ma un angelo, probabilmente un serafino.

Come sia successo, non ne ho la minima idea. Fatto sta che le prove della mia cambiata natura sono lampanti, convincerebbero un cieco. Eppure sa Iddio quanto m'ero affezionato alla carne mediocre (mani che sudano, alito forte...) che finora ha protetto i miei giorni. La condizione umana – con tutte le sue spine, le sue steppe di gialla noia – dopotutto ha questo di buono, che garantisce a ciascuno, con tanto di firma del sindaco, una pacifica identità; e mentre ci nomina padroni vitalizi del metro cubo e passa che occupiamo sulla terra, non ci toglie perciò il conforto di sentirci uguali a milioni e milioni di creature lontane...

Io mi sveglio al mattino e, svegliandomi, mi affratello a tutti gli altri che aprono gli occhi nel mondo, titolari come me di un odore, di una faccia, di una memoria. Pure, nello stesso tempo, se m'affaccio alla finestra e grido "Vincenzo, Vincenzo La Grua!", non v'è nessuno laggiù che sollevi la testa e si riconosca nella mia voce, le sillabe del nome che chiamo appartengono solo a me, a questo umile, solitario, esclusivo, irripetibile dio.

Ebbene, d'ora in avanti dovrò fare a meno di una certezza tanto imperfetta, uno straniero m'ha invaso, d'ora in avanti "io" chissà chi è.

Cominciamo dal principio. Ebbi la prima avvisaglia nel bagno, sei mesi fa. Stavo sotto la doccia, bianco bianco, battendo i denti. Scomparsa, non so come, l'acqua calda, mille schizzi freddi m'avevano assalito a tradimento. Armeggiavo dunque con dita inette attorno alle manopole dei rubinetti, rischiosamente in bilico sull'orlo del tappetino. Ed ecco d'improvviso non me lo sentii più sotto le piante, una leggerezza mi vuotò le ossa, levitai graziosamente verso il soffitto. Il primo moto fu di paura pudica: nudo e bianco com'ero, l'ascensione m'avrebbe condotto a esibire all'altezza dell'oblò che dava luce al locale lo sparuto cespuglio nero del pube, col pericolo che dal balcone dirimpetto la moglie dell'avvocato palpitasse indignata per gli occhi delle sue bambine.

Fu fortuna che la cosa non durò più di un istante o due. Mi ritrovai seduto e abbastanza malconcio sul pavimento, incapace d'intendere lì per lì se m'ero librato santamente in volo o ero solo incorso in un infortunio piccoloborghese, come ne comporta ogni sdrucciolevole abluzione domenicale...

Qualche settimana dopo ebbero inizio le sanguinazioni. Da principio subdolamente, in forma di piccole stille rosa, di cui scoprivo le tracce, quando mi cambiavo la maglietta, lungo le costure delle maniche. Ma una mezzanotte, tornando in tram da una prima dell'Opera (faccio a tempo perso il claqueur, in famiglia siamo sempre stati tutti o spettatori o musicanti o cantanti), sentii dietro gli omeri, a destra e a manca, un tepore e umidore strano, come se due vene di gazosa tiepida mi si fossero aperte nel dorso. Discesi alla prima fermata, mi sbottonai la camicia sotto un lampione, cercai con le mani di raggiungere la doppia sorgiva, le ritirai rosse, erano le mani di un apprendista beccaio. A casa, storcendo il collo davanti allo specchio, potei scorgere nei punti dolenti due ulcerazioni fresche, dove il sangue s'era raggrumato in croste ardenti e livide, quasi le braci di un'amputazione. Mi balenò il pensiero, così per ridere, che una volta, quand'ero in culla, mi fossero state mozzate le ali, e che ora i moncherini volessero rampollare di nuovo, come ricrescono ai bebè i denti del latte. Forse quelle piaghe attive annunziavano una specie di parto, presto dai peli che le coprivano sarebbe germogliato all'aria un folto piumaggio d'uccello...

Più ragionevolmente, mentre mi spogliavo prima d'infilarmi fra le lenzuola, rinfacciai ad Amalia le mordaci effusioni della sera prima, le indicai dietro le ascelle gl'indizi. Lei protestò, mi sgridò, dovetti convenire che le mie non erano stimmate e malizie amorose ma altro. Da allora le allusioni attorno a me si moltiplicarono, qualcuno, a quanto pare, voleva farmi capire una cosa. L'elsa che trovai in soffitta, per esempio, dentro il professionale baule di Tespi dove l'aveva abbandonata zio Ettore, dopo il suo sfortunato Manrico a Parma, nel '49, poteva, sì, essere solamente la squinternata appendice d'un brando da trovarobe, ma, insomma, com'era ricca e strana,di che fosforescenza inondava la tenebra, sembrava, fra gli stracci che la fasciavano, un trofeo o diadema barbarico, tempestato di rubini. Un giorno, infine, la Bibbia del Doré, che ricordavo di non avere sfogliato da anni, mi si fece trovare spalancata sul comodino, e la pagina era quella che racconta di Tobia e di un suo misterioso compagno di viaggio.

Cominciai a preoccuparmi. Nel mio corpo s'era introdotto uno squilibrio di cui non riuscivo a calmare le oscillazioni. Un mattino i capelli mi cascavano a fasci, come mietuti da una categorica falce; un altro mi rispuntavano, ma gentili, sottili, flessuosi, d'un biondo che non era il mio. "Capelli d'angelo", li chiamò Amalia, dal nome d'una qualità siciliana di spaghetti, e frattanto li accarezzava. Lusinghe improduttive, oramai. Poiché verso le donne m'era sopravvenuta un'inerzia da non crederci. Mentre, al contrario, mi sentivo sempre più bersaglio della concupiscenza del prossimo: di dame e signorine, che mi strizzavano l'occhio, mi sussurravano sfiorandomi "O biondo!"; ma anche di pelosi signori, che m'importunavano negli ascensori o nei cessi delle stazioni. Uno insistette, s'inginocchiò, mi baciava le mani, supplicava. Ho dovuto forzarlo a rialzarsi, consolarlo con un buffetto sopra la guancia.

Un certo guadagno di svago mi venne da questo e da altri insoliti segni. Non senza qualche raccapriccio, però, come la volta che ai piedi dell'acquaio scopersi a terra un mucchio di piume bianche e, accanto, appoggiata al muro, una scure.

Ora io sulle cose non mi stanco di ragionare; né mi lascio frastornare dalle prime impressioni. Sono un tipo, l'avrete capito, di costumi casalinghi e frenati, con scarsa propensione alle sublimità metafisiche. Ma se mi càpita per una settimana di fila di sognare sul far dell'alba un immenso spazio ghiacciato e nero, dove d'un tratto sgorga un fulmine incandescente; se odo nel sonno un remeggio maestoso crescere ai due lati del materasso, simile allo stormire d'un grande bosco; se mi pare di sollevarmi con esso sempre più su, fino a sporgermi da una soglia vertiginosa, incastonato nell'occhio di Dio come una goccia nel cuore d'un immortale diluvio; se, più prosaicamente, salendo in terrazza per abbronzarmi, ora che giugno è alle porte, mi accorgo di stampare coi piedi scalzi sull'impiantito impronte che fumano e friggono, come se trasudassero cucchiaiate di piombo fuso... di ciò, ditemi, che devo pensare, che devo dire?

Mi sono informato cautamente in giro, sono andato in biblioteca a documentarmi. Lo pseudo Dionigi scrive (ho la fotocopia davanti): "La Scrittura non rappresenta solo ruote infuocate, ma anche animali di fuoco e uomini per così dire raggianti, e pone attorno alle stesse sostanze celesti cumuli di carboni infuocati e fiumi che con irresistibile impeto emanano fiamme, e mostra che gli stessi sublimi Serafini, secondo il loro nome, sono brucianti..."

E allora come la mettiamo? Io, se poso un dito sul braccio di Amalia, lo scotto, se mi metto un termometro in bocca lo squaglio...

Amalia è incredula, riduce ogni cosa alla sua misura. Mi dice: "Tu sei portato all'esagerazione, vedi miracoli dappertutto. Sei anche un poco fissato, diciamo la verità. E per uno scivolone nella toletta, per due eruzioni cutanee, per qualche penna d'oca spennata che t'è occorsa sotto i piedi in cucina, fai un baccano che più non si può. Ma va dal medico, va... Vedrai, le fiamme che ti senti bollire in corpo, se non sono soltanto caldane da ipertensione essenziale..."

Io m'arrabbio, la picchio con un giornale, mi lamento della sua sordità. Non si commuove: "Se sei veramente un angelo, dammi i numeri per un'ambata" mi sfida. Allora m'arrendo, ridendo. Salvo a vendicarmi di tanto in tanto con uno scherzo, ora scrivendole sullo specchio col suo rossetto un imperativo salace; ora apparendole di notte al capezzale, mascherato con camicione candidissimo e tuba, a trombarle nelle orecchie un "Dies irae" terrorizzante.

Goliarderie. Con le quali tento di allontanare i pensieri e dubbi più gravi. Sono un angelo e sia, su questo non ci piove. Ma un angelo che nasce o rinasce? Patisco una metamorfosi o un'intrusione? È un ospite sconosciuto, costui che alloggia nelle mie membra, o in esse si risveglia un battesimo antico e dimenticato?

Quando rimugino queste domande, durante l'insonnia, a fianco di Amalia che russa, oppure, con vergogna di entrambi, le penso a voce alta fra una portata e l'altra di mezzogiorno, mi viene un'angustia a sommo del petto, devo subito cercare di distrarmi con una sigaretta o un liquore. È tanto flagrante, ormai, il disturbo in cui mi trovo che la donna, sia pure in modo obliquo e malevolo, comincia a disingannarsi, l'idea che io sia posseduto non le fa più stomaco, la ringalluzzisce, semmai. Benché da quando ha rivisto in Tv *L'esorcista*, propenda per una possessione d'altra specie più impegnativa. Al punto che due tre volte l'ho colta, con la scusa di volermi tagliare le unghie dei piedi, in atto di scrutarmeli da vicino: sospettosa, suppongo, d'una biforcazione caprina. Altrettanto, le volte che annusa l'aria e mi chiede se ho acceso or ora un fiammifero svedese, è chiaro che sente nella stanza, o finge, un odorino di zolfo. Né mi persuade che abbia invitato due sere di seguito a cena il curato...

Io, viceversa, persisto a credere che la cosa entratami dentro sia di qualità buona. Anche se mi domando perché proprio a me. Io sono un uomo comune, non merito visite di riguardo, il mio corpo è una casa povera, i miei sensi e la mia mente non fanno che poca luce... Non capisco. A meno che l'invasore non sia uno spirito curioso delle usanze del mondo, venuto a far pratica in una bottega qualunque, come si mandano i principi ereditari a svezzarsi su una corvetta da strapazzo o nei reggimenti di guarnigione. Oppure si tratta di un angelo discolo, scappato dal collegio, come certi ragazzi qui sulla terra, che prendono senza biglietto il primo treno che passa e tornano un mese dopo con la mano nella mano d'un solenne carabiniere.

Certo io mi sento manomesso, occupato, costretto a contendere a una forza aggressiva qualche magro rimasuglio di me... Che se poi avesse ragione Amalia, maledetta lei! Se dentro mi abitasse un Satanucolo in transito, così fatuo e crudele da scegliere per passatempo di maltrattare la sorte d'un poveraccio!...

Infine una cosa è irrefutabile: soffro.

L'incidente finale è dell'altrieri, risolutivo.

Me l'aspettavo, ma non così presto. Il fatto è che negli ultimi tempi una novità minacciosa s'era insinuata nel mio linguaggio. Io che di solito parlo parole dabbene, educate, accompagnate da gesti miti, ecco, prima a lunghi intervalli, poi più spesso, poi ogni ora o mezz'ora, mi son fatto prendere da una sorta di tic coprolalico, mi scappava come niente una sguaiataggine, peggio ancora un termine porco. Allora, trovandomi in compagnia, allo stesso modo di chi sente urgere in sé un'impropria ventosità, m'appartavo con una scusa, correvo al gabinetto a sputarla, l'indecenza, in un fazzoletto a colori premuto contro le labbra. Questo ha reso difficoltosi e rari i miei commerci col mondo, m'ha consigliato di praticare la solitudine. Tuttavia, se in un luogo mi pareva d'essere al sicuro da me, questo era il teatro. Dove, avendoci libero ingresso, m'ero scelto a scanso d'ogni pericolo un posto in piedi dietro una tenda, presumendo che in tutti i casi avrei saputo contenere o dissimulare, se mai fosse arrivato, l'accesso.

Stavolta non fu così. Ero entrato di soppiatto, provavano una di quelle coserelle che piacciono a me, poco nota, l'oratorio che il Carissimi dedica alla passione di Giobbe. C'ero andato, istigato da due ragioni: rivedere, per tenerezza e malinconia, il contralto ticinese Gertrude, mio furibondo amore di giovinezza (avete fatto caso, questi contralto, che roche, cupe, indimenticabili messaline?); e badare, visto che nel pezzo c'è un angelo che canta, se, da collega a collega, avesse recato un messaggio dei superiori per me. Di latino so abbastanza, altrettanto di crome e biscrome. Dunque mi stavo gustando parole e musica con affabile genio, anzi, lo confesso, con qualche lacrima fra ciglio e ciglio. Ma, quando dopo l'"Audi, Job", intesi per la terza o quarta volta la melodia replicare, dolcissima, il suo rassegnato, imperterrito "Sit nomen Domini benedictum", non so che convulso di riso e rabbia mi prese, esplose in una bestemmia incredibile, che soverchiò voci e strumenti e di colpo li zittì.

Fui scalciato, buttato fuori, era il meno che meritassi. Poi fu necessario chiamare il Neurodeliri.

Qui e ora sto bene, Amalia mi porta i giornali, i cambi di biancheria, il supplemento dei cibi. Non che il vitto sia male, ma io ho gusti precisi, né intendo cambiarli. Quanto al resto aria buona, infermiere di mezz'età ma graziose, calmanti soavi da sciogliere nell'acqua, un vasetto di fiori sul davanzale...

Rifiorisco. Non dico più le brutte parole, le penso soltanto. Alla presenza che ho in me mi rivolgo assiduamente, ma in termini molto civili. Al riguardo mi sono fatta un'idea: deve trattarsi d'una creatura abortita, che s'aiuta come può a non morire, e succhia i miei succhi umani, usurpa i miei ricordi, per questo: per non morire. Dovrò abituarmi a viverci insieme. Da nemico e da amico. Frenandolo o aizzandolo, secondo il caso. Addomesticandolo. Crescerò con lui, lui sarà me, io sarò lui, baratteremo vizi e virtù. Già mi vedo guidare con la sua mano paralitici e ciechi fra i caroselli del traffico; annunciare maternità benedette di porta in porta con un giglio nel pugno; vegliare col dito sulle labbra davanti alle camere dei moribondi; un'alba, con una spada fiammeggiante, vincere il drago.

IL RITORNO DI EURIDICE

Era stanca. Poiché c'era da aspettare, sedette su una gobba dell'argine, in vista del palo dove il barcaiolo avrebbe legato l'alzaia. L'aria era del solito colore sulfureo, come d'un vapore di marna o di pozzolana, ma sulle sponde s'incanutiva in fiocchi laschi e sudici di bambagia. Si vedeva poco, faceva freddo, lo stesso fiume non pareva scorrere ma arrotolarsi su se stesso, nella sua pece pastosa, con una pigrizia di serpe. Un guizzo d'ali inatteso, un lampo nero, sorse sul pelo dell'acqua e scomparve. L'acqua gli si richiuse sopra all'istante, lo inghiottì come una gola. Chissà, il volatile, com'era finito quaggiù, doveva essersi imbucato sottoterra dietro i passi e la musica del poeta.

"Il poeta"... Era così che chiamava il marito nell'intimità, quando voleva farlo arrabbiare, ovvero per carezza, svegliandosi al suo fianco e vedendolo intento a solfeggiare con grandi manate nel vuoto una nuova melodia. "Che fai, componi?" Lui non si sognava di rispondere, quante arie si dava. Ma com'era rassicurante e cara cosa che si desse tante arie, che si lasciasse crescere tanti capelli sul collo e li ravviasse continuamente col calamo di giunco che gli serviva per scrivere; e che non sapesse cuocere un uovo... Quando poi gli bastava pizzicare due corde e modulare a mezza voce l'ultimo dei suoi successi per rendere tutti così pacificamente, irremissibilmente felici...

"Poeta"... A maggior ragione, stavolta. Stavolta lei sillabò fra le labbra la parola con una goccia di risentimento. Sventato d'un poeta, adorabile buonannulla... Voltarsi a quel modo, dopo tante raccomandazioni, a cinquanta metri dalla luce... Si guardò i piedi, le facevano male. Se mai possa far male quel poco d'aria di cui sono fatte le ombre.

Non era delusione, la sua, bensì solo un quieto, rassegnato rammarico. In fondo non aveva mai creduto sul serio di poterne venire fuori. Già l'ingresso – un cul di sacco a senso unico, un pozzo dalle pareti di ferro – le era parso decisivo. La morte era questo, né più né meno, e, precipitandovi dentro, nell'attimo stesso che s'era aggricciata d'orrore sotto il dente dello scorpione, aveva saputo ch'era per sempre, e che stava nascendo di nuovo, ma alla tenebra e per sempre. Allora s'era avvinta agli uncini malfermi della memoria, s'era aggrappata al proprio nome, pendulo per un filo all'estremità della mente, e se lo ripeteva, Euridice, Euridice, nel mulinello vorticoso, mentre cascava sempre più giù, Euridice, Euridice, come un ulteriore obolo di soccorso, in aggiunta alla moneta piccina che la mano di lui le aveva nascosto in bocca all'atto della sepoltura.

Tu se' morta, mia vita, ed io respiro?
Tu se' da me partita
per mai più non tornare ed io rimango?

Così aveva gorgheggiato lui con la cetra in mano e lei da quella monodia s'era sentita rimescolare. Avrebbe voluto gridargli grazie, riguardarselo ancora amorosamente, ma era ormai solo una statuina di marmo freddo, con un agnello sgozzato ai piedi, coricata su una pira di fascine insolenti. E nessun comando che si sforzasse di spedire alle palpebre, alle livide labbra, riusciva a fargliele dissuggellare un momento.

Della nuova vita, che dire? E delle nuove membra che le avevano fatto indossare? Tenui, ondose, evasive come veli...

Poteva andar meglio, poteva andar peggio. I giochi con gli aliossi, le partite di carte a due, le ciarle donnesche con Persefone al telaio; le reciproche confidenze a braccetto per i viali del regno, mentre Ade dormiva col capo bendato da un casco di pelle di capro... Tutto era servito, per metà dell'anno almeno, a lenire l'uggia della vita di guarnigione. Ma domani, ma dopo?

Guardò l'acqua. Veniva, onda su onda (e sembravano squame, scaglie di pesce), a rompersi contro la proda. Scura, fradicia acqua, vecchissima acqua di stagno, battuta da remi remoti. Tese l'orecchio: il tonfo delle pale s'udiva in lontananza battere l'acqua a lenti intervalli, doveva essere stufo, il marinaio, di tanti su e giù...

Mille e mille anime s'erano raccolte, frattanto, e aspettavano. Anche a mettersi in fila, sarebbero passate ore prima che giungesse il suo turno. "Non ci sono precedenze per chi ritorna?" si chiese con un sorriso, benché non avesse fretta, ormai che c'era, di rincasare. Erano mille e mille, le anime, e aspettavano tremando di freddo e starnazzando, con una sorta d'impazienza affamata. Il fuoco che brillava in mezzo a loro, va a sapere come avevano fatto ad accenderlo, ad attizzarlo, con che pietre focaie e pigne di pino. E vi si scaldavano attorno, l'aria di fiume è nociva ai corpi spogliati.

Sorrise ancora. Come se i reumi avessero ancora corso, fra i morti. Benché a lei sarebbe piaciuto lo stesso consolarsi le palme a quella fiamma, mescere la sua voce – un pigolio – al pigolare degli altri. Non lo fece, non s'avvicinò al bivacco, preferiva restare sola a pensare. Poiché un disagio, lo stesso che lascia un cibo sbagliato, le faceva male sotto una costola, e lei sapeva che non era il cruccio della vita ripersa, della resurrezione andata a male, era un altro e curioso agrume, un rincrescimento, incapace per ora di farsi pensiero, ma ostinato a premere dentro in confuso, come preme un bambino non nato, putrefatto nelle viscere, senza nome né sorte. E lei non sapeva come chiamarlo, se presagio, sospetto, vergogna...

Ricapitolò la sua storia, voleva capire.

A ripensarci, s'era innamorata di lui tardi e di controvoglia. Non le garbava, all'inizio, che le altre donne gli corressero dietro a quel modo, insieme alle bestie, alle belve. Doveva essere un mago, quell'uomo, un seduttore d'orecchi, un accalappiatopi da non fidarsene. Con l'eterno strumento a tracolla, la guardata indiscreta, la parola ciarlatana. Poi, una sera di molta luna, trovandosi in un boschetto ad andare, trasognata secondo il suo costume, coi piedi che le passeggiavano qua e là, temerari con tante angui latenti nell'erba, a un certo punto, dentro il fitto d'alberi dove s'era cercata una cuccia di buio, un filo di musica s'era infilato, via via sempre più teso e robusto, fino a diventare uno spago invisibile che la tirava, le circondava le membra, gliele liquefaceva in un miele umido e tiepido, in un rapimento e mancamento assai simile al morire. Né s'era svegliata prima che le grosse labbra di lui, la potenza di lui, le si fossero ritirate lentamente di dosso.

Lo amò, dunque. E le nozze furono di gala, con portate a non finire e crateri di vino nero. Turbate da un solo allarme irrisorio: quella torcia che, sebbene Imene l'agitasse con entrambe le mani, non s'avvivava ma continuava a eruttare tutt'intorno pennacchi di brutto fumo.

Dopo di che c'erano stati giorni e notti celesti. Lui sapeva parole che nessun altro sapeva e gliele soffiava fra i capelli, nei due padiglioni di carne rosea, come un respiro recondito, quasi inudibile, che però dentro di lei cresceva subito in tuono e rombo d'amore. Era un paese di nuvole e fiori, la Tracia dove abitavano, e lei non ne ricordava nient'altro, nessuna sodaglia o radura o petraia, solo nuvole in corsa sulla sua fronte e manciate di petali, quando li strappava dal terreno coi pugni, nel momento del piacere. Giaceva con lui sotto un'ampia coppa di cielo, su un letto di foglie e di vento, mirando fra le ciglia in lacrime profili d'alberi vacillare, udendo un frangente lontano battere la scogliera, una cerva bramire nel sottobosco. Si asciugava gli occhi col dorso della mano, li riapriva. Lui glieli chiudeva con un dito e cantava. Ecco già si fa sera, ora negli orti l'oro dei vespri s'imbruna, la luna s'elargisce dai monti, palpita intirizzita fra le dita verdi dell'araucaria... Euridice, Euridice! E lei gli posava la guancia sul petto, vi origliava uno stormire di radici, e battiti, anche, battiti lunghi d'un cuore d'animale o di dio.

Lo aveva amato. Anche se presto aveva dubitato d'esserne amata altrettanto. Troppe volte lui s'eclissava su per i gioghi del Rodope in compagnia d'un popolo di fanciulli che portavano al polso una fettuccia rossa; o scendeva giù a valle, verso la marina, pavoneggiandosi del suo corteo d'usignoli stregati, stregato lui stesso dalle cantilene che gli nascevano. Senza dire mai dove andava, senza preoccuparsi di lasciarla a corto di provviste, deserta d'affetto, esposta ai salaci approcci di un mandriano del vicinato. Si fosse degnato di adontarsene, almeno, di fare una scenata. Macché. Si limitava, tanto per la forma, a intonare un lamento dell'amor geloso, di cui, dopo un minuto, s'era già scordato. Quand'è così, una si disamora, si lascia andare, sicché, negli ultimi tempi, lei s'era trascurata, si faceva vedere in giro con le chiome secche, male truccata, con la pelle indurita dai rovi, dalle tramontane. E sebbene ad Aristeo rispondesse sempre no e poi no, non lo diceva con la protervia di prima, ma blandamente, accettandone, addirittura, ora una focaccia di farro, ora un rustico mazzolino. Salvo a scappare, appena quello dimostrasse cupamente nei pomelli qualche porpora di vino o di desiderio. Finché era morta così, mentre gli scappava davanti, pestando con piante veloci la mala striscia nell'erba.

Maledetta erba... Il pensiero le si volse di nuovo a Persefone. Un fiore di ragazza, ma sfortunata. Che anche lei s'era messa nei guai per volere andare a spasso nei prati. Un'amica a mezzo servizio, purtroppo, ma così bella quando tornava dalle ferie, abbronzata, con le braccia colme di primavera, di ligustri a fasci, di giacinti, amaranti, garofani... E se li metteva fra i capelli, quell'ora o due che duravano; indi nei portafiori, dove s'ostinava a innaffiarli con acqua di Stige, figurarsi; decidendosi a buttarli nell'immondizia solo quando decisamente puzzavano...

Sfortunata ragazza. Cara, tuttavia, a uno sposo, a una madre. E che poteva permettersi di viaggiare, di alternare gli asfodeli con i narcisi, i coniugali granelli di melagrana con le focose arance terrene, di essere a un tempo gelo e vampa, orbita cieca e raggiante pupilla, femmina una e dea trina!...

Un clamore la riscosse. La barca era apparsa di colpo, correva sulla cima dei flutti come per il repentino puntiglio di un conducente in ritardo. E dalla riva le anime applaudivano, squittivano, tendevano le mani, qualcuno lanciava segnali impugnando un tizzone acceso. Euridice si levò in piedi a guardare. La scena era, come dire, infernale. Con quella prora in arrivo sulle onde bigie, e questi riverberi di fuoco nebbioso, sotto cui la folla sembrava torcersi, moltiplicarsi. E si protendevano tutti, pronti a balzare. La chiatta fu subito piena, straripava di passeggeri, stretti stretti, con le braccia in alto per fare più spazio. Un grappolo di esclusi tentò ancora un assalto, afferrandosi a una gomena. Ricaddero in acqua, riemersero a fatica, fangosamente. Un posto solo era rimasto vuoto, proibito, uno stallo di legno accanto al vecchio nocchiero. "Euridice, Euridice!" chiamò il vecchio nocchiero.

Riaprì gli occhi. Una lingua d'acqua fredda le lambiva le caviglie. La barca era immobile, ora, beccheggiava a metà della corrente. Vide davanti a sé la schiena nuda e curva del vecchio, ispida di peli bianchi. Da un buco del fasciame una lingua d'acqua era entrata e il vecchio era curvo a vuotarla e ad incerare la falla. Che barca vecchia. Quante cicatrici, sulla vela, e rammendi d'ago maldestro. "Ero più brava io, a cucire," pensò. "Sono stata una buona moglie. Lo amavo, il poeta. E lui, dopotutto, mi amava. Non avrebbe, se no, pianto tanto, rischiato tanto per voragini e dirupi, fra Mani tenebrosi e turbe di sogni dalle unghie nere. Non avrebbe guadato acque, scalato erte, ammansito mostri e Moire, avendo per sola armatura una clamide di lino, e una semplice fettuccia rossa legata al polso. Né avrebbe saputo spremere tanta dolcezza di suoni davanti al trono dell'invisibile Ade..."

Il peso contro il costato doleva, ora, ma lei non ne aveva più paura, sapeva cos'era. Era una smemoratezza che le doleva, di un particolare dell'avventura recente, una minuzia che aveva o visto o intuito o capito in un baleno e che il Lete s'era provvisoriamente portato via. Come una rivelazione da mettere in serbo per ricordarsene dopo. Se ne sarebbe ricordata a momenti, certo, appena la sorsata di Lete avesse finito di sciogliersi, innocua ormai, nel dedalo delle sue vene. Era questa la legge, anche se lei avrebbe preferito un oblio di tutto e per sempre, al posto di questa vicenda di veglie e stupori, di queste temporanee vacanze della coscienza: come chi, sonnambulo, lascia il suo capezzale e si ritrova sull'orlo d'un cornicione...

Ripensò al suo uomo, al loro ultimo incontro. Ci ripensò con fierezza. Poiché il poeta, era venuto qui per lei, e aveva sforzato le porte con passo conquistatore, e aveva piegato tutti alla fatalità del suo canto. Perfino Menippo, quel buffone, quel *fool*, aveva smesso di sogghignare, s'era preso il calvo capo fra le mani e piangeva, fra le sue bisacce di fave e lupini. E Tantalo aveva cessato di cercare con la bocca le linfe fuggiasche, Sisifo di spingere il macigno per forza di poppa... E la ventosa ruota d'Issione, eccola inerte in aria, come un cerchio d'inutile piombo. Un eroe, un eroe padrone era parso. E Cerbero gli s'era accucciato ai piedi, a leccargli con tre lingue i sandali stanchi... Ade dalla sua nube aveva detto di sì.

Rivide il sèguito: la corsa in salita dietro di lui, per un tragitto di sassi e spine, arrancando col piede ancora zoppo del veleno viperino. Felice di poterlo vedere solo di spalle, felice del divieto che avrebbe fatto più grande la gioia di riabbracciarlo fra poco...

Quale Erinni, quale ape funesta gli aveva punto la mente, perché, perché s'era irriflessivamente voltato?

"Addio!" aveva dovuto gridargli dietro, "Addio!", sentendosi la verga d'oro di Ermete picchiare piano sopra la spalla. E così, risucchiata dal buio, lo aveva visto allontanarsi verso la fessura del giorno, svanire in un pulviscolo biondo... Ma non sì da non sorprenderlo, in quell'istante di strazio, nel gesto di correre con dita urgenti alla cetra e di tentarne le corde con entusiasmo professionale... L'aria non li aveva ancora divisi che già la sua voce baldamente intonava "Che farò senza Euridice?", e non sembrava che improvvisasse, ma che a lungo avesse studiato davanti a uno specchio quei vocalizzi e filature, tutto già bell'e pronto, da esibire al pubblico, ai battimani, ai riflettori della ribalta...

La barca era tornata ad andare, già l'attracco s'intravedeva fra fiocchi laschi e sporchi di bruma. Le anime stavano zitte, appiccicate fra loro come nottole di caverna. Non s'udiva altro rumore che il colpo uguale e solenne dei remi nell'acqua. Allora Euridice si sentì d'un tratto sciogliere quell'ingorgo nel petto, e trionfalmente, dolorosamente capì: Orfeo s'era voltato apposta.

GORGIA E LO SCRIBA SABEO

Qualche tempo dopo il suo ritorno da Atene, Gorgia leontino riprese l'abitudine di parlare da solo. Se ne andava ogni giorno di buon'ora fuori città, seguíto passo passo dallo scriba giovane che aveva avuto in dono da Callicle, e si esercitava lungamente a declamare da solo. Lo scriba era un giovane di carni scure, di cuore semplice e mente impulsiva, così sollecito del nuovo padrone da pedinarlo affettuosamente nelle sue escursioni, senza lasciargli mai modo di appartarsi e chiudersi in sé. Sicché Gorgia s'era acconciato ormai a vedere sul terreno, accanto alla propria, l'ombra vicina dell'altro, in quei meriggi di sole a picco che nei campi dormivano tutti, tranne le sentinelle della fortezza Brichinnia, e le acquicelle del fiume parevano ferme, uno stagno di luce fusa.

Era l'ora che il filosofo sceglieva per uscirsene a spasso fuori le mura, senza prudenza, bisogna dire, con tanti scorridori siracusani nei dintorni, ma i filosofi, si sa, non sono prudenti. Camminava di solito fino al grande carrubo solitario di contrada Ceramia – tanta distanza gli occorreva per dedurre un discorso intero – arringando i sassi dei muri come una condiscendente platea e dirigendo da sé con lo schiocco delle dita la musica della voce. Curioso uomo. Ché, se non avesse bene meritato dalla città col propiziarle l'alleanza degli ateniesi e il soccorso della flotta di Lachete, non gli sarebbero valsi né il magniloquio né l'aria ispirata né il bagliore intellettuale degli occhi a salvarsi, lungo la strada, dalle baie della marmaglia.

Tant'è: in città era rispettato, ammirato, lo volevano

consigliere e ambasciatore nei frangenti più disperati; però nessuno lo amava. A meno che non fosse amore la devozione canina di questo giovane barbaro, di razza sabea, finito chissà come dalla nativa tribù del deserto al servizio di Callicle, prima, e ora suo. Uno che parlava a fatica la lingua nostra, mescolandovi sillabe cupe di un suo idioma remoto e pretendendo che avessero un senso; ma la intendeva e scriveva a meraviglia. Un ascoltatore ideale, insomma, posto che a Gorgia non servivano obbiettori ma complici; né gli premeva tanto espugnare di viva forza un ingegno, quanto innamorarlo e ridurlo attonito in ceppi. Senz'altra spada che non fosse l'acuta lingua o altro laccio che l'intorcigliata fune gordiana della sua parola.

"La parola," disse Gorgia, asciugandosi con una pezzuola bianca il sudore della fronte, "è un grande dominatore, che con minimo e invisibile corpo divine gesta sa compiere: calmare la paura, togliere la pena, suscitare la gioia, crescere la pietà..."

Erano arrivati al vecchio albero e stavano seduti, a gambe in croce, sotto il fogliame. Il giovane da un involto aveva cavato la semplice colazione di ulive nere e l'orcio d'acqua di pozzo; quindi una tavoletta di cera, dove avrebbe segnato, come ogni giorno, quel che piacesse al padrone. Supplicandolo, beninteso di trattenersi, di dettare piano, tanto si sentiva travolgere da quel turbine di melodiosi concetti, dove ora appariva, ora spariva, come in un miraggio di dune, una controversa, dimezzata, duplicata verità.

"Prendi l'esempio di Elena," dettò Gorgia, "di cui i poeti non si stancano di riprovare l'audacia, e dice Eschilo che fuggì su orme di adultere strade e recò ad Ilio per dote nuziale la morte. Mentre io oso gridarla innocente con la forza delle mie labbra. Poiché ella fece quel che fece o per scelta del Caso, volontà degli Dei, legge di Necessità; oppure rubata da mani violente; oppure indotta da parole d'amore. Se è vero il primo motivo, non la donna si deve incolpare, ma il Caso, gli Dei, la Necessità; se il secondo è vero, al ladro spetta il carico dell'oltraggio, non a lei che lo patì; se infine a sedurla furono le parole e gl'incanti d'amore – qualunque cosa sia l'amore, estro divino o malattia dei mortali – ebbene, con che cuore potresti condannare all'indegnità una donna che agì costretta e non libera, che fu sventurata e non rea? Come potresti considerarla infame per questo?"

Sotto il dito teso, puntato dritto contro la sua faccia, il servo si emozionò. Chiamato a far da giudice, quando avrebbe preferito la parte di semplice plauditore, balzò in piedi gridando: "Divina Elena, hai vinto!" mentre arrossiva e in aggiunta al nome balbettava una frase nella sua lingua, dove a Gorgia parve d'intendere non solo un verdetto d'assoluzione, ma un sentimento di letizia e di fresco desiderio maschile. Sorrise e gradì l'uliva che il giovane gli porgeva, la masticò piano piano.

Una farfalla gli s'era posata intanto sopra un ginocchio. Fiduciosamente. Con ali iridescenti di sole, benché, guardandole da vicino, spuntassero da un corpicciolo di verme, grigio, peloso, intoccabile; come di certi minuscoli mostri che la mano disseppellisce sotto un macigno e se ne traggono pronostici di disgrazia. Un tremito di ribrezzo scosse il filosofo. Quanto bastò perché l'insetto s'impaurisse di lui, e gli si levasse di dosso per involarsi in un raggio. Invano il servo rincorse il volo, o quel che gli pareva un volo e non era più che un lampeggio di pulviscolo fugace; quindi si rassegnò, tornò ad accovacciarsi con l'asticciola da scrivere in resta, disposto ancora all'ascolto.

Fu a questo punto che s'avvide del sandalo. Era un sandalo di bronzo, che sembrava aderire con qualche stento al piede sinistro dell'uomo, né era identico al destro, ma solo analogo. Con la medesima suola di bronzo, allacciata da corregge di cuoio, ma di pianta leggermente più spasa e di colore più buio, secondo quel che s'intravvedeva dai bordi e dagl'interstizi fra dito e dito. Un colore piceo, affumato: quasi che la calzatura fosse stata tolta a un guerriero colpito dal fulmine; o l'avesse arrostita a lungo un fabbro nella sua forgia.

Il giovane alzò gli occhi e interrogò mutamente il padrone.

È una reliquia del mio maestro,'' spiegò Gorgia. ''Ciò che rimase di lui quando fu assunto nel fuoco. È da allora che la porto al piede, certe volte gli oggetti hanno più memoria degli uomini.''

Si curvò confidenzialmente verso lo schiavo. Sapeva che lui non avrebbe capito, ma era contento di confessarsi così a uno che non capiva, a un orecchio sordo e fedele, dove avrebbe nascosto se stesso all'insaputa di tutti.

''Ascolta,'' divagò a bassa voce. ''Due volte ho sofferto d'invidia nella mia vita, io che sono il più grande di tutti e la mia statua d'oro sta a Delfi come la statua d'un dio. Due volte. La prima fu per Empedocle, per come ha saputo morire. La seconda ad Atene, quest'anno, per Socrate, per come vive e saprà un giorno morire. Socrate, l'hai conosciuto anche tu in casa di Callicle, gli hai portato l'acqua più volte, quel giorno che aveva la gola secca dal gran discorrere, e c'era Callicle, il tuo vecchio padrone, e il giovane Polo così ciarliero, e un giovinetto silenzioso di cui non rammento il nome. E io parlai della mia arte, a che cosa serve quest'arte che professo, del persuadere... Ebbene, ciò che non dissi quel giorno, ciò che non osai confessare è che questa ricchezza che possiedo qui, sulla punta della lingua, questa mia orgogliosa retorica, è solo un po' di vento di cui si commuovono le cime degli alberi e sembra soggiogarle a suo piacere, ma presto cade e quelle tornano a rizzarsi immobili contro il turchino del cielo. Mentre è il morire, il saper morire, l'unica cosa che ci giustifichi sopra la terra. Bada, io so che morirò vecchissimo, Empedocle me l'ha predetto, ch'era indovino e mago infallibile, e una volta lo vidi risuscitare una donna senza fiato, esanime da trenta giorni nel letto... Sì, so che morirò vecchissimo, ma temo di non saper morire, temo che la mia retorica non saprà inventare, nel momento del trapasso, né il silenzio di Empedocle né la parola di Socrate...''

Il giovane non scriveva più, ascoltava. Appassionato tuttora e felice di non capire, ma curioso di quel sandalo nero.

"È la sua ultima notizia, chissà che segreto racconta..." esitò Gorgia, parlando a se stesso. Si cavò il sandalo e lo tenne fra le mani, spiandolo come una trovatura di sottoterra. E in effetti il bronzo eruttato appariva come sudicio d'una spessa morchia di lava, scalfito dagli stessi geroglifici che incide su ogni lapillo l'ustione oscura del fuoco.

La farfalla tornò d'improvviso su Gorgia, evitò le sue mani, venne a posarsi sul puntale della scarpa a somiglianza d'un gioiello o del petalo d'un fiore.

"Sstt..." fece lui, trattenendo col cipiglio il ragazzo che s'accingeva a levarsi per replicare la caccia. "È forse lui che ritorna..."

"Lui?"

"Empedocle che ritorna. Il quale fu un tempo fanciullo e fanciulla e arboscello e uccello e guizzante pesce nel mare. E volle morire per nascondersi nelle cose e risorgerne dio. O perché non potrebbe essersi cangiato in farfalla? Io so quanto amasse le sorti più lievi..."

Non era la prima volta che il servo udiva Gorgia dire del suo maestro, come incedeva per le vie di Agrigento vestito di porpora, cinto d'infule sacre e coronato di fiori. E lo invocavano le madri dalle soglie a sanare i figlioli infermi, i contadini a proteggerli dal maltempo, e una volta costrinse il vento in otri di pelle asinina e fu chiamato "carceriere del vento"... Sapeva tutto questo, il servo, ma gli giovava sentirselo ripetere una volta di più e beveva la parlata di Gorgia come se fosse una fiaba. Ma non sì che non la sentisse invasa da una profonda tetraggine, come accade a un discepolo orfano che per guarire dell'orfanezza consente a farsi a sua volta maestro...

"La Concordia, la Discordia," tornava a dire Gorgia, "reggono il mondo. Questo lui m'insegnò, questo io t'insegno. Né l'una vive senza l'altra, né l'una vince mai pienamente sull'altra. Ieri vedevi dalla terra spuntare tempie senza collo, e braccia nude di spalle errare, e pupille vagare solitarie fuor dalle fronti. Ma oggi ecco già le membra sparse si riappiccano a formare questa nostra misera macchina umana. La quale ha pur breve destino. E così misera parte di vita è in grado di scorgere..."

Si alzò, fissò davanti a sé un invisibile esercito d'ombre: "Uomini," disse. "Voi come fumo nell'aria dileguate e credete conoscenza il poco che incontrate e insistete a crederlo tutto..."

Aveva appeso il sandalo per un legaccio a uno spuntone di ramo e se ne stava così, scalzo a metà, strofinando il piede nudo sul terreno, come fanno talvolta con lo zoccolo le giumente. La farfalla era di nuovo volata via, né lui sembrava più ricordarsene.

Fece con le braccia un gran gesto circolare con cui colse e strinse il cielo, l'erba della terra, l'acqua del fiume, il calore del sole.

"Questo," disse. E una lacrima gli spuntò dalle ciglia, gli rigò lentamente la guancia, si fermò sul mento contro un cespuglietto di peli. "Questo. La nascita e morte di questo... E il nostro esilio, la scissura maledetta. La nascita che separa, la morte che riunisce. E noi, io, tu, tutti, dilacerati e banditi dal regno degli Dei, fuggiaschi per le vie del mondo, così sempre, in eterno, colpevoli d'aver seguito la folle Discordia..."

S'asciugò con un dito la guancia. "Ragazzo, dammi ora un po' d'acqua," disse.

Il sibilo della freccia parve un garrito di rondinella. Colpito in pieno, l'orcio si sbriciolò, sparse il poco liquido sui rami attorno, spruzzò la tunica del filosofo. Gli rimasero i cocci nel pugno e lo stupore sul viso. Lo schiavo era balzato in piedi con un guaire terrorizzato, s'era girato a proteggere col suo corpo il corpo del padrone, entrambi addossandosi al tronco rugoso dell'albero. Ma non si vedeva anima viva. Fuori dell'albero, della sua chiazza verdecupa, si scorgeva solamente il chiaro, sulle stoppie della pianura, d'un errabondo e pezzato sole. Nessuna presenza animale, all'orizzonte. Senonché da una siepe lontana un lampo brillò, di elmi sorpresi dal sole nel suo mutarsi da una nuvola all'altra. Quindi gli arcieri uscirono allo scoperto, s'avanzarono verso i due.

Erano pochi, una pattuglia. E occhieggiavano attorno, sospettosi che i due non fossero soli ma la punta appariscente di un avamposto nemico. Sicché venivano avanti piano, con archi parati e vista irrequieta. Quando furono giunti all'albero, uno di loro rise. "Toh, il filosofo," disse. "Una buona e comoda preda. Un chiacchierone senz'armi. È Gorgia".

Gorgia lo riconobbe. "Ermocrate," chiamò, "t'hanno dato da comandare un assai minuscolo esercito. Ti stimano da ciò, i siracusani?"

Ermocrate si rabbuiò. Era giovane e scoteva sui muscoli grossi del collo una criniera di lunghi capelli neri. Ma la baldanza soldatesca temperavano rughe precoci agli angoli della bocca.

"Tu vattene in pace," disse allo scriba. "E tu seguimi, Gorgia da Leontini. Sebbene dovrei dirti ateniese, per come aduli la città d'oltremare. E facevi meglio a restarci, la Sicilia è troppo rozza per te..."

Gorgia l'aveva riconosciuto all'istante. Anni prima, quando ancora non era lite fra le due città, erano stati insieme commensali e avevano discorso insieme a lungo nei conviti sull'Acradina.

"Seguirti? Perché no?" Sorrise al servo, mostrandogli con gli occhi il sandalo che pendeva dal ramo. "È tuo," disse. "Insieme a quest'altro" e scosse dal piede destro il calzare superstite. "Sei libero, va."

Indi, scalzo e lieto, fra i quattro arcieri s'incamminò. Ma il servo non gli diede retta, mugolando e gemendo da lontano li seguiva.

Una piccola grotta li accolse, dove i siracusani avevano dormito la sera prima e le pietre del bivacco serbavano la calura della fiamma. Pochi sterpi bastarono a farla avvampare ancora, si mangiò, si bevve, si parlò. La grotta era piccola, sospesa sul vallone dell'Alcantara, donde un fremito d'acque saliva e pareva ridire una frase infinita e sonnolenta. I cinque sedevano al fuoco e parlavano; del servo, nel buio, s'era perduta la traccia.

"Dunque, sei mio prigioniero," esordì Ermocrate. "Non mi piace, ma devo farlo. Hai pur tradito l'isola a vantaggio degli ateniesi, li hai pur chiamati in armi contro di noi!"

Gorgia sollevò con due dita un lembo della clamide, si bendò per un attimo il viso, poi tornò a guardare la luce:

"Tu hai per prigioniero nessuno," fece e sorrise.

"Non sono un ciclope, perché tu possa giocarmi col tuo nessuno," protestò impetuosamente Ermocrate, e gli pose la mano sul braccio.

"No, Ermocrate, dico davvero. E tu che t'atteggi a filosofo, puoi seguire il filo dell'argomento. Perché tu possa avermi tuo prigioniero, bisogna ch'io sia qualcuno, che il mio essere sia altra cosa dal non essere; bisogna, soprattutto, che l'essere sia..."

Ermocrate sogghignò: "Non m'incanti. Tu esisti, ti tocco. La punta della mia lancia non sta carezzando un fantasma..."

Gli spinse contro il fianco la lancia. Di poco, ma la stoffa si strappò, una gocciola rossa scorse lentamente lungo la gamba.

"Una delle tre," proseguì però Gorgia. "O l'essere è generato e finito; o ingenerato e infinito; o generato e ingenerato insieme. Nel primo caso, sarebbe generato da ciò che non è, quindi dal niente. Vedi da te com'è assurdo pensarlo. Ove poi fosse ingenerato e infinito, non avrebbe confini di tempo né troverebbe luogo capace di contenerlo. Vedi da te come possa concepirsi esistente ciò che in nessun momento e in nessun posto non è. Infine, come può una cosa essere insieme generata e no? Non ti ferisce la contraddizione?"

Ermocrate rise ancora: "Sia come vuoi, ma se tu sei nessuno, io sono nessuno altrettanto. Lascia dunque che nessuno si diverta ad ammazzare nessuno." E spinse di un altro po' il ferro nella carne dell'altro.

Gorgia scosse le spalle: "Ammazzarmi? Come se la natura non avesse votato già la morte mia, tua e di ognuno, con voto manifesto a tutti i mortali, il giorno stesso che venimmo alla luce... Seppure vuoi chiamarla morte, e non piuttosto separazione di parti. Poiché, vedi, niente è semplice di quel che appare, tutto è mescolato, confuso, composto. La morte con la vita, Zeus con Hera, Nestide con Aidoneo... E il giusto partecipa dell'ingiusto, il falso del vero, il bello del brutto, il male del bene. Questo è il tragico e lo stupendo del nostro essere non-essere qui sulla terra. Ed è questo che la mia parola denunzia e canta. La mia parola che volta a volta discrimina e ricongiunge i contrari, e fa balenare ora questo ora quello davanti agli occhi, secondo la convenienza. Sì che il grande sembri piccolo e il piccolo grande, e l'antico nuovo e nuovo l'antico... Non senza una musica, dentro, per addolcire la mente..."

Ermocrate non l'udiva, da un pezzo s'era turate le orecchie con due palline e si limitava a guardarlo da un angolo, in fondo alla grotta, dove s'era composto un giaciglio. Né Gorgia taceva per ciò, ma seguitava a parlare, sempre a quel modo suo, curando il ritmo segreto del suo discorrere, e che ogni sillaba s'arricciolasse argutamente nell'altra o vi morisse voluttuosamente.

Quando fu l'ora di dormire, si stabilirono i turni delle vigilie, di due ore in due ore, fuori della grotta, e che ciascun soldato sarebbe uscito a dare il cambio all'altro, dopo il breve riposo. Ingenuità militare, di cui Ermocrate si sarebbe vergognato per il resto della sua vita. Poiché, appiattato nel buio, il servo di Gorgia abbatté i tre, uno per volta, man mano che venivano fuori, barcollanti di sonno, a sostituire il compagno. E li coglieva inavvertito alle spalle, ombra veloce e leggera, soltanto armata d'un sandalo bronzeo, più solido d'un martello.

Quando alle prime luci Ermocrate si svegliò, che s'era riservato l'ultimo quarto di guardia, la sua stessa lancia gli era puntata contro la gola. In piedi, incombente (chi avrebbe pensato che fosse così alto?), la brandiva lo scriba, con un trionfo sereno negli occhi, mentre il filosofo, sveglio e in piedi anche lui, osservava la scena appoggiandosi al muro della caverna.

“Ermocrate, sei mio prigioniero,” motteggiò, aiutandolo con un braccio a levarsi, ma non poté che annuire quando il siracusano, strofinandosi gli occhi, rispose: “Gorgia, tu hai per prigioniero nessuno”.

Tornava Gorgia in compagnia del servo verso Leontini. Ermocrate se n’era andato, col suo consenso. E il filosofo camminava speditamente, ora che aveva recuperato ai piedi i calzari. Triste, però, e finalmente zitto, al pensiero che qualcuno era perito per colpa sua e che lui ne portava sotto la scarpa l’odore in grumi di nero sangue e capelli. Infine si volse al servo: “Servo,” disse, “mantengo la mia promessa, sei libero. D’ora innanzi vivrai nella mia casa da amico. Ma, dimmi, con che nome vuoi che ti battezzi, in cambio dell’altro che avesti una volta nella libertà del deserto?”

“Empedocle,” rispose lo scriba. “Chiamami Empedocle.” E gli mostrò sorridendo nel pugno aperto una farfalla infilzata con l’asticciola per scrivere.

DUE NOTTI DI FERDINANDO I

Prima notte

La sera del 25 aprile 1824, otto mesi prima di morire, Ferdinando I di Borbone, per la Dio grazia re delle Due Sicilie, di Gerusalemme eccetera, Infante di Spagna, duca di Parma, Piacenza, Castro eccetera eccetera, Gran Principe ereditario della Toscana eccetera eccetera eccetera, paziente di reumi e podagra alla gamba destra, ma valoroso ancora a cavalcare e a cacciare, si mise a letto nella sua villa di Persano, dopo aver trascorso nei boschi una giornata serena.

Non aveva ragione di temere una malanotte, lui che d'ordinario s'addormentava senza fatica, anche quando aveva perso cento o duecento pezze a riversino col generale Naselli o col principe di Ruoti, don Giuseppe Capece Minutolo. Ferdinando era, si sa, un uomo di sensi impulsivi ma di mente fiacca e carnale; teatralmente convinto del suo privilegio, convinto che il suo reame fosse solo una grande bandita, dove cignali e sudditi non pascolavano se non per proporsi alla mira del suo schioppo o ai capricci della sua grazia. Un uomo grosso e sazio di sé, con qualche scoppio repentino di sghiribizzo e di umore, quando il Pulcinella pazzariello che gli stava nascosto dentro si risvegliava un momento e gli parlava all'orecchio. Non c'era ragione, dunque, che dovesse temere una malanotte, e tuttavia, coricatosi alle dieci e mezza, trascorse ore nevrasteniche e oblique, "avendo di continuo sognato cose stravagantissime", come scrisse l'indomani alla seconda moglie, la duchessa di Floridia. E sono parole reticenti, insolite in una persona effusiva, abituata, scrivendo, a render conto meticoloso d'ogni mangiata ed evacuazione. Stavolta, invece, sia che il succedersi delle visioni fosse stato tanto disordinato da riuscire indicibile, sia che uno spontaneo ritegno lo trattenesse, fatto sta ch'egli non andò oltre quel cenno, autorizzandoci – a somiglianza dei filologi che si sforzano di risarcire le lacune d'un papiro – a correggere il suo silenzio e a congetturare, per esempio, ch'egli quella notte abbia metà sognato, metà fantasiato nel dormiveglia, il seguente guazzabuglio di morte e felicità.

Gli pareva di trovarsi in Sicilia un giorno di mezz'agosto di venticinque anni prima, immediatamente dopo la sanguinosa crociera a Napoli per i processi sommari. La sera avanti aveva mangiato e bevuto senza risparmio, celebrandosi il compleanno della consorte Maria Carolina, mentre già urgevano in città i festeggiamenti della Santa Rosalia, graziosamente posticipati per esibirli al ritorno dei viaggiatori regali. Aveva bevuto troppo, tanto da farsi scappare con Lord Nelson qualche sproposito dei suoi, che accompagnava con un fragore di riso e uno starnuto del forte naso. "Signor duca di Bronte," gli aveva detto, "peccato, quell'occhio e quel braccio mancanti. Mentre con lady Hamilton bisognerebbero quattr'occhi, quattro braccia... Insomma, il doppio di tutto quanto!"

Nelson non sembrava aver udito, era solo impallidito un poco. Alzando poi l'occhialetto davanti alla pupilla offesa: "Non vi vedo, Maestà," aveva mormorato. "Non vi vedo proprio." E voltandogli le spalle, se n'era andato. Orbo e monco d'un inglese! Non fosse stato tanto caro alla Regina, tanto utile alle sorti vacillanti del trono! Un marinaio insolente, che per guadagnare il porto di Palermo in tempesta s'era dovuto affidare a un uffiziale borbonico; e in quanto a guidar navi controvento non valeva una fibbia di scarpa dell'ammiraglio Caracciolo.

Caracciolo... un corpo gonfio e ritto cominciò a ballargli su e giù sotto le palpebre, immergendosi, levandosi dall'acqua nera del golfo: un misirizzi inaffondabile, coi segni violacei d'un capestro attorno al collo. E guardava con occhi celesti, strano che se ne potesse scoprire il colore, sebbene rimanessero chiusi... Poi vicino a quella testa una ridda nuova di teste pullulò e gremì la scena, una ridda di teste morte che si tuffavano, affioravano, lo fissavano con orbite vacue: la testa del Corriere di Gabinetto Antonio Ferreri, dilaniato dalla canaglia sotto i balconi della reggia; la testa della Sanfelice coi capelli vischiosi di sangue, una livida rosa di cera dentro il paniere; le teste a coppia di Michele Morelli e di Giuseppe Silvati...

Il re si lamentò, mormorò non so che nel sonno, poi si rigirò a dormire sull'altro fianco.

Ora si rivede in un luogo verdissimo, grandi nuvole passano sopra di lui. Riconosce i viali di bosso, i lecci, le palme della Favorita, il suo parco delle delizie. L'architetto Venanzio Marvuglia distende su una panchetta di comodo i disegni, si ravvia con la mano i capelli mossi dallo scirocco, spiega, interroga, si risponde da sé. Il re non lo ascolta, guarda a destra e a manca, distratto. Ombre azzurre velano il monte Billiemi, ma il sole, un sole nericcio e arso, gronda lungo i calanchi del Pellegrino e pare un sugo di seppia. Come l'afa si fa sentire, Ferdinando schiocca rumorosamente le labbra, una mossa che lo staffiere interpreta a volo. Svolge dal panno che la copre una mezzina di rame, colma d'acqua buona del Garraffello, gliela versa in un bicchiere di cristallo chiaro, uno solo, il Marvuglia sudi pure a suo comodo.

Il re alza lo sguardo alla palazzina che sta sorgendo, cerca di districarne la sagoma dalla selva d'impalcature. Le voci dei lavoranti sopra il pontone arrivano quaggiù insoavite dal vento. Una se ne distingue, più ardita, che intona i versi del Meli per la caduta dei giacobini partenopei:

Sagra Real Famiglia,
la cosa è già finita,

sta Libertà abbattuta,
paura 'un ci n'è cchiù.

Un omaggio al sovrano, si capisce, anche se il ragazzo per farsi udire si sporge pericolosamente da un'asse malferma. Bravo, guaglione, bravo. Il re gli batte le mani da lontano e respira contento. È contento d'essere vivo, d'essere re, in una mattina che sembra un'allodola levata in volo; è contento di non dover firmare condanne, oggi, di potersi concedere questo armistizio del cuore in un luogo così verde, davanti a una casa che nasce, che, a vederla ancora bambina, già s'indovina di pungente, sinuosa vaghezza. Un lazzarone di merito, questo Marvuglia, bisognerà pagarlo con mano larga. Peccato che non sia napoletano... Perché i siciliani... Ha ragione Carolina di stomacarsene. Gente col cuore pieno di vipere, di sofismi. Arroganti, avventati. Come quel frate Diego, anni fa, che ha strozzato l'inquisitore! E l'altro, come si chiama, Valla, Villa, il nome gli fa solletico sulla punta della lingua, quell'abate venuto da Malta (siciliani, maltesi, tutt'una razza!) coi suoi falsi codici arabici... O infine Giuseppe Balsamo, il diavolo Cagliostro, che il diavolo se lo porti... Il re borbotta nel sonno. Brutte bestie, i siciliani, veri cannibali. Ma che cielo, che mare possiedono. E al loro re vogliono bene. Come quel ragazzo che canta:

Cantamu tutt'a coru,
tutti allegri gridannu:
Evviva Firdinannu,
l'invittu nostru re!

Il guaglione dovrebbe stare più attento, però. Che aspetta mastro Marvuglia a sgridarlo? Ma Marvuglia bada solo a magnificare la fabbrica, non smette di parlare, di decantarla dalle fondamenta al fastigio: quello è il belvedere, con una vista da paradiso; qui a pianterreno c'è la sala da ballo, più in là la sala delle udienze... Con ornati e stili superbi, i più superbi che sia dato vedere sopra la terra: alla pompeiana, alla turchesca, alla chinese... Mancano le statue? Verranno. Perché non proporne una al Canova, una prosopopea del re in figura di Minerva pacificatrice?

Il re ride, ora. Buffa idea, travestirlo da donna, da Minerva, poi... Minerva starebbe bene a Carolina, semmai, sebbene Carolina sia più portata per Venere...

Il re ride più forte, numera con le dita le "finezze", come le chiama nel suo calepino segreto, sperimentate fra le braccia della regina nell'ultima settimana. Gli converrà d'ora innanzi frenarsi a casa se vuol correre spedito fuori, nelle prossime occorrenze amorose... C'è quella principessa di Partanna, poniamo. Una carne di ricotta e miele, occhi famosi... Purché don Venanzio si ricordi di praticare nell'alcova del primo piano una porticina di sicurezza...

Cantamu tutt'a coru,
tutti allegri gridannu...

Ma quel guaglione non la smette più?

Evviva Firdinannu,
l'invittu no...

Un urlo, un tonfo: un'asse volteggia molle nel vuoto, pare non debba toccare mai terra. Ma più veloce, brancicando l'aria con braccia cieche come ali di spaventacchio, più veloce un corpo è piombato giù, lordando sopra il ginocchio, con uno schizzo scarlatto, il raso bianco d'un pantalone.

Seconda notte

La sera del 3 gennaio 1825 Ferdinando I andò a letto di malumore. Un po' per l'uggia e il rimorso d'aver ricevuto il giorno avanti un celebre iettatore, il canonico Iorio; un po' per una flussione al naso e al petto che non voleva guarire. Disse all'aiutante di camera don Carlo Ciavarria che l'indomani lo lasciasse in pace, non venisse come le altre volte a svegliarlo di primo mattino. Poi indossò la camicia lunga da notte, si avvolse fra le coltri e soffiò sulle fiamme del doppiere che gli teneva compagnia. Non riuscì a chiudere occhio, la tosse, il catarro non gli concedevano tregua; e insieme agl'incomodi del corpo gli nuoceva un farnetico della mente, un rimescolio di sembianze e voci perdute, come sempre accade a un vecchio che non riesce a prendere sonno.

Da quanti anni regnava? Sessantacinque, settanta? Aveva cominciato bambino, quando ancora non sapeva leggere, quasi. E da quel tempo estati e inverni innumerevoli erano scorsi, giorni felici e infelici. Più questi che quelli? Ma no! Provò, per addormentarsi, a fare un gioco, non quello di contare le pecore in fila, ma di rappresentarsi i suoi momenti più lieti. Ce n'erano stati, altrocché, e bastava un lampo breve sotto le palpebre a ridestarli. Viaggi, feste, cacce, amanti... E rivincite, vendette, clemenze sovrane... Una luminaria s'accese, uno spettacolo di ore antiche risfolgorò nella notte. Che opra di pupi era stata la sua vita, un "casotto di vastasate", come quello palermitano di Piazza Marina, dove si recava in incognito tanti anni fa a veder recitare il grande Marotta nella parte del facchino 'Nofriu...

Un dolore gli cominciò dietro l'occipite, morbido, un'arborescenza morbida e dolorosa che da quel punto spingeva i suoi rami all'interno, ma esitando, come se fosse incerta sulla direzione da prendere.

Le donne, pensò alle donne. Quante, dame di corte, villane di San Leucio, ballerine del Teatro San Carlo: grasse come quaglie, voluttuose come colombe...

Pensò ai viaggi. Per terra, per mare; per montagne bianche di neve, per larghe lunghe strade maestre. Il fischio della tramontana fra le sartie della *Vanguard* si mischiò nelle sue orecchie col cigolare d'una lettiga su per i mali passi di Leybach.

Pensò alle sere di giuoco, a picchetto, alla primiera, vociferate fra tintinni di calici e di monete.

A mezzanotte giungevano in polpe i serventi per il ricambio delle candele, Maria Carolina faceva ogni tanto capolino fra i battenti... Passa via! Carolina gli portava positivamente disgrazia. Guai se durante la partita si fosse permessa di venirgli davanti senza coprirsi la faccia con un ventaglio!

Il dolore s'era messo ora in marcia, sembrava aver preso una decisione. Era come se un esercito di minuscoli millepiedi gli zampettasse sotto la pelle del cranio. S'era messo in marcia, chissà dove voleva andare. Ma i diamanti, i rubini... Era stato bello vederli splendere sparpagliati sul fondo scuro d'uno scrigno, prima di regalarli. Gioielli, arredi... Ricordò, si sforzò di ricordare il tesoro che s'era portato dietro al tempo del primo imbarco: mobili, perle della corona, le cose più belle del Regno. E ricordò gli specchi, le sete, i profumi, le porcellane. Provò, nel ricordo, a riaffacciarsi da un balcone su un corso di folla in estasi, mentre s'allontanava fragoroso sopra le selci il galoppo ferrato dei cavalli berberi in gara...

Ora le truppe del dolore s'erano accampate in un punto, stavano scavandosi una trincea...

Com'era giovane quando, dopo una battuta di caccia, numerava i capi abbattuti, lepri, fagiani, pernici, beccacce, prima di farsi "tavernaro" e andarli a spacciare sulla pubblica piazza come un venditore! Occhio buono ci vuole, a sparare. La selvaggina va colpita all'attacco della spalla, mai nel ventre. Se ne sarebbe ricordato il principe di San Cataldo, che da quel giorno non seguì più le cacce del re!

Il re sbarrò gli occhi nel buio. Quanta gente morta, com'era rimasto solo. Meno male che la tosse s'era calmata. Sebbene il dolore persistesse, condensato in una specie di globo di luce, un pendulo lampadario di mille fuochi su un turbine di cose danzanti. S'assopì per mezzo minuto e fu allora che rivide l'albero della cuccagna, uno di quelli, unti di grasso, su cui il popolaccio si arrampicava nel carnevale a cogliere in cima trofei di cibi o di cenere. Sognò di arrampicarsi lui stesso, una due volte. Le mani, le gambe ogni volta perdevano presa, si sentiva precipitare come quel mezzogiorno alla Favorita il guaglione che cantava. Era in quella caduta, in quella sconfitta – pensò – la figura della sua vita?

E la storia, che ne avrebbe detto la storia?

Il dolore si fece d'improvviso intollerabile.

La povera, stupida storia... Una vena gli si ruppe nel capo. Sentì, prima di non sentire più nulla, un crepito dietro l'occhio, come quando un coltello lacera un velo. Poi da mille porte irruppe e lo invase un'onda enorme di buio.

Don Carlo Ciavarria aveva sentito il re tossire due volte verso le sei del mattino. Alle otto, non vedendolo levarsi, discretamente bussò. Non ricevendo risposta, si fece ardire di entrare.

Il re – parole di Pietro Colletta – giaceva fra le coltri e i lenzuoli disordinati, avvolto in essi così stranamente che pareva avesse lottato a lungo. Un lenzuolo gli copriva il capo, e quel viluppo si nascondeva sotto il guanciale; le gambe, le braccia stravolte; livido il viso e nero, gli occhi aperti e terribili; la bocca spalancata come a cercare aiuto o a raccogliere le supreme aure vitali...

MORTE DI GIUFÀ

Storie di Giufà, ne so tante. Di quella volta che vendette una pezza di tela d'Olanda a una statua... E quando sua madre, andando alla predica, gli disse di cuocere due fave, e lui la prese in parola e due veramente ne mise sul fuoco; poi, per sentirle di sale, se le mangiò... E quando una notte, mentre guardava il granaio dai ladri, li volse in fuga col parlare e rispondersi da solo, che pareva un esercito di carabinieri a cavallo...

Vi racconterò la sua morte...

Giufà strinse gli occhi, li chiuse. Avrebbe provato meno fame, così. Sapeva da un pezzo il segreto di addormentarla, la fame, sin da quando, ragazzo, aveva preso a sentirsela in corpo come una bestia intrusa, una volpicina che lo rosicasse da dentro ma che sarebbe bastato un fischio a stornare. Un fischio oppure una ninna nanna a se stesso:

Giufà, dormi. Giufà, fa' 'a vovo'.
Stu figghiu è beddu e dormiri vò...

finché gli fosse cascato sul capo l'ingombro del sonno, una cappa di pece nera, sdrucita appena qua e là dagli abbagli d'una visione: ora d'una scodella di fave, ora d'un'acciuga salata, ora d'un fico d'india da cogliere al volo, scansando le spine, con una mano furba e callosa quanto una mano di vecchio...

Così per anni e anni, pascendosi d'aria. Ma ora è vecchio davvero, Giufà. Né c'è miraggio che valga a

ingannare la volpe grigia che gli morsica la pancia...
Che aspetti, dunque, Giufà? Non hai udito or ora starnazzare un pollaio qui accanto, dietro quel muro di cinta? Non hai udito levarsi dall'ombra la lusinga d'un *coccodé*?

Giufà scivola dal suo rifugio. Il buio è ancora pesto, secondo quel che si vede dalla finestra piccola del fienile. È l'ora in cui nella masseria tutti dormono, propizia ai rubagalline, ma Giufà si sviluppa prudente, un piede dietro l'altro, con fatica di ginocchi e un mancamento d'aria nel petto. Da quanto tempo gli pesa questa vita pellegrina di salire e scendere e strisciare, e mangiare polvere di trazzera, e bere acqua di truogolo come i maiali; con sonni di ventura, che non sai quando cominciano e quando li romperà sul più bello un forcone di contadino. Da quanti anni? S'imbroglia con le dita, Giufà, nel contare. Saranno più di tre ventine, i suoi anni, era ancora garzone quando passò Garibaldi... era ancora di prima barba quando vide il brigante Salibba sparato fra i sugheri, con un bastoncello di ceraso nel pugno e un cane accanto, che gli leccava il sangue sul viso... Eppure, alla fine dei conti, non è stata una brutta vita, per come gli è capitato di viverla, di stagione in stagione con piogge e soli, caldi e geli, per aie di campi e *vanedde* di paese, con tante voci d'uomo che gli tornano ora a sussurrare familiarmente dentro le orecchie. Che suono amoroso ha la voce umana, che concerto amoroso è la vita, eseguito da una banda di mille e mille strumenti, frulli d'ali, gorgoglio di torrenti, vento notturno fra le case... un concerto di crepiti, bramiti, aneliti, uggiolii, un concerto ch'è di uomini e bestie, di terra, aria e mare, ma che finalmente è la musica stessa, ineffabile, del vivere... Solo le stelle non fanno rumore, luccicanti ed esangui, lassù, come i gioielli al collo della Madonna Addolorata, quando si leva sulle teste del popolo in lutto e traballando le solca col passo d'una paranza fra l'onde.

Dicono ch'è sciocco di mente, Giufà, ma non è vero oppure è vero a metà. È ch'egli crede con abbandono all'evidenza e all'innocenza delle parole: se designano una cosa, per lui sono quella, né più né meno. Senza i viziosi drappeggi di cui l'uomo le ha rivestite nei secoli. Sicché, quando gli comandano "due fave", due veramente ne cuoce; quando gli raccomandano di tirarsi dietro l'uscio prima d'uscire, obbedisce volenteroso, e lo tira, lo tira, fino al punto di strapparlo dai cardini e trascinarselo via...

Lo stesso con le cause e gli effetti, di cui scorge solo i nodi contigui, mentre gli sfugge l'ordito: se porta l'asino a bere e vede la luna, che si specchiava nel pozzo, scomparire d'un tratto alla vista, è all'asino che dà la colpa d'averla bevuta e lo batte finché la luna si sprigioni dalla sua nuvola e torni a brillare nell'acqua. "Lo dicevo," si vanta allora con l'asino, "che te l'avrei fatta sputare!"

Crudele, ironica gioventù! Sono favole, queste, che le ragazze si raccontano per sfizio e riso, mentre tessono fili di sparto alle seggiole sulle soglie dei *dammusi*. Ché se vedono il vecchio passare nella sua divisa stracciona di soldato senza bandiera, lo chiamano, lo aizzano, scandalose, con discorsi di amore e baci, gli regalano alla fine, per unica indennità, una *cubbaita* o una focaccia di miele. Quanto è sufficiente appena a sfamarlo una sera né gli risparmierà di dover tornare domani alla sua guerra antica di frode contro campieri e massari. Senza sapere, Giufà, che campieri e massari fingono ormai di non accorgersi dei suoi spiccioli latrocini di vagabondo e lo lasciano scorrazzare a man salva attraverso la benevola cecità della notte...

Come stanotte che tutti sono rimasti a vegliare, in attesa che passino i corridori della Corsa Grande, quella di cui chi sa leggere ha letto notizia su ogni intonaco, da Termini a Buonfornello. Coi più fulminanti avvisi di non permettere in strada nessun vitello sparigliato, nessun bambino incustodito; di non esporsi dalle curve all'irrompere delle vetture; di preparare bende agl'infortunati e soccorsi di pane e vino ai bersaglieri ciclisti.

Giufà non sa leggere, della gara non sa niente. Il suo sentimento è rivolto tutto a una pingue gallina e a un uovo caldo nel buio. Striscia sul terreno verso quelli, penosamente, fermandosi sempre più spesso man mano che s'avvicina alla stia. Col cuore che gli rulla come un tamburo, ora che una sagoma di curatolo s'è stagliata contro il cielo, fantasma inatteso in cacciatora d'orbace, con lo schioppo sul braccio e una borraccia a tracolla.

Passa mezz'ora e a Giufà sembra di giocare a *scardulli e capitani*. Poi il curatolo s'allontana sopra una mula bardata. Bisogna a questo punto far presto, profittare dell'armistizio. Un dito d'azzurro più tenero essendo spuntato dall'orlo dell'orizzonte, significa che il più della notte è trascorso. Bisogna far presto. Giufà esegue due balzi ancora, di pochi passi, poi l'ultimo che pare eterno, con un ansito di stanchezza e sollievo. È fatta, ormai, le dita sapranno essere al solito silenziose, micidiali, veloci.

Non è più notte, giorno non è ancora. Sul mare, doppiando il dente di Punta Scorsone, grandi vele si spiegano nel livore del crepuscolo come scialbe ali d'arcangelo. L'occhio le coglie appena, così sporche di brina e nebbia fiottano a pelo dell'acqua. Giufà riposa dietro una siepe di more, con tre uova in un fazzoletto e il peso d'una faraona strozzata che gli gonfia la pettorina. Mentre riposa pensa ed entrano nel suo pensare figure di lontananza, delle ragazze di gioventù, quando andavano a due a due, serrate nelle mantelline di saia, e ciuciuliavano come passere; e delle altre, di più matura stagione, dallo sguardo pizzuto come un trincetto nello spiraglio dello scialle. La vedova Arcidiacono, per esempio, gli torna in mente, la sera che lo chiamò a falciare la malerba davanti al cancello e alla fine lo tirò per mano, lo volle in casa sopra di sé, gli regalò persino un'onza d'argento. Una diavola nuda e bianca, Giufà trema ancora pensandola, sebbene con un languore di piacere sazio nel sangue, per quel lume di carne di lei, grassa e nuda nel letto come una vacca, e maestosa nel taglio di luna che entrava dal lucernario, mentre a lui si chiudevano gli occhi, *Giufà, dormi. Giufà, fa' 'a vovo'*, e lei balbettando gli baciava tutta la faccia e gli

dava piccoli colpi col pugno contro la schiena...
C'era una luna su Girgenti, quella notte, c'era una luna...

Ora il vecchio Giufà sta sdraiato dietro una siepe e non sa più che fare, ora che s'è ripassata per intero la carta giubileana della sua vita. Aspettando che spunti l'alba, lo stradale, dietro la siepe, è invisibile, ma pare abitato, scosso da zoccoli strani. Chissà che cosa, una cosa pesante, di tanto in tanto lo squassa. Giufà ne ha sentito parlare, di questi carri di ferro che corrono soli su quattro ruote, senza un mulo o cavallo che li tiri; e fanno rumore, e mandano lampi. Ne ha visto uno, una volta, un giorno di fiera, scendere a precipizio per i tornanti di Biddini, un attacco polveroso e fiammeggiante, che portava dentro di sé una testa piena d'occhiali e coronata di cuoio: il diavolo, o chi se non lui?

Uno stesso fragore e luci uguali crede ora d'udire e vedere, Giufà, appoggiando a terra l'orecchio e spiando fra il fogliame, benché dell'orecchio e dell'occhio suo si fidi assai poco, da un tempo in qua... lui che sapeva ad ogni primavera, steso supino sul prato, avvertire il fruscio dell'erba che cresce, cogliere da lontano con un sasso il guizzo d'una lucertola. Ma i giorni vengono e passano, la barba s'è fatta bianca, come sei cambiato, Giufà...

Giufà si spaventa dell'alba che tarda a nascere, della notte che resiste rombante e feroce. Beve i tre tuorli, uno dopo l'altro, accarezzandoli prima fra lingua e palato; ma il suolo che sobbalza sotto i piedi delle macchine mobili, lo spiffero d'afa torva che mandano e giunge di qua dalla siepe come un corto respiro di belva, e il silenzio, fra un passaggio e l'altro, stupefatto della campagna... ecco, gli pare, a Giufà, che tutta la terra stia male e urli di doglia senza potere sgravarsi. Peggio del terremoto d'altr'anno, che fu cosa della natura. Mentre oggi sono gli uomini a farsi male da sé...

Giufà sente che la gallina rubata viene perdendo calore contro il suo petto. Per pelarla e cuocerla ci vorrebbe un coltello, un po' di frasche da ardere, due bacchette in croce a fare da spiedo. Un armamento che il vecchio, sebbene di testa sventata, sa dove trovare: nella casa cantoniera in abbandono, lì dirimpetto, di là dalla strada maestra. Sorge allora, sonnolento, e s'avvia. Scavalca la siepe, posa le piante scalze sul sodo della massicciata. Per istupidirsi e fermarsi di botto, accecato da due fari che gli si gettano addosso, sbucati dalla svolta vicina, all'impensata. Capisce che deve scappare e per un istante lo vuole, ma si sente da quegli occhi cercato, voluto. Allora corre incontro al nemico e non sa perché, corre incontro al diavolo a braccia aperte (Giufà, fermati, dove vai? quell'ingegno di ferro non t'appartiene, l'hanno inventato gli altri contro di te, contro la tua felicità rusticana...), corre incontro al diavolo senza segnarsi, sente con ira e stupore le quattro zampe impennarglisi sopra e ricadergli sul petto, schiantargli le ossa, sbriciolargli insieme alle costole, nascosto fra pelle e camicia, il bottino d'una gallina...

Era il 6 maggio 1906, giorno della prima Targa Florio, ma Giufà che ne sapeva?

LA VENDETTA DI "FERMACALZONE"

Che don Vincenzo (Vincenzulu, 'Nzulu) Incardona, detto "Fermacalzone", uomo sparuto, brutto, e pocotenente, avesse sposato la formosissima Aida, era un fatto. Si poteva meravigliarsene, scandalizzarsene, il fatto restava. Solido, incancellabile. Corredato d'ogni fatidico crisma religioso e civile: scambio d'anelli, benedizione di padre Giustino, certificato del sindaco da esibire dietro richiesta ai più increduli burò d'albergo insulari e peninsulari. Un patto dispari finché si vuole, ma in pari con Cesare e Dio. Come tanti se ne stringono al mondo.

"'Nzulu," chiamò Aida e si sporse nella stanza con tutta la superbia delle sue membra, 57 chili di carne soffice e bianca, radiosamente rosea qua e là per un di più di sangue che la irrigava, ma coronata da un bosco di feroci ricci corvini. Lui alzò dal caffellatte lo sguardo: miope, adorante, lucido di sacrificio e passione. Così l'aveva a suo tempo persuasa: con questo sguardo di cane, implacabilmente servile. Quasi che a ogni istante le profferisse sopra un vassoio l'anima, la vita intera. Pronto a saltare nel vuoto senza domandare perché. E ad ammazzare, naturalmente, solo che lei gli avesse sussurrato un nome all'orecchio. Benché, sarebbe stato un bel vedere, 'Nzulu Incardona, con un'arma nel pugno, lui che appariva così impedito in tutti i gesti della sua giornata... Usciva di prima mattina con la borsa della posta a tracolla, su una bicicletta sprovvista di carter, subito bisognoso che qualcuno gli sbrogliasse dai denti della catena lo svolazzo dei pantaloni. Finché non escogitò di frenarli mediante una molletta da panni, col risultato che i bambini gli correvano dietro gridando senza rispetto: "Fermacalzone, Fermacalzone!", indifferenti, com'è dei bambini, alla smorfia di pena che gli trasaliva sotto il sudore e la polvere della gota.

Una vera vergogna, insomma, e un pregiudizio per la serietà dell'ufficio, come deplorava al Circolo, dalla sua nube di fumo, il capufficio Sciveres. Il quale, dopo averlo trasferito una settimana allo sportello dei telegrammi, e aver raccolto contro il sedentario più assai reclami che contro l'itinerante, s'era dovuto risolvere infine di restituirgli, con l'uniforme vecchia e una borsa nuova, le incombenze d'una volta.

"'Nzulu," chiamò dunque Aida e lui levò il capo, le giurò con gli occhi obbedienza, le disse con gli occhi: "Sono qui, sono tuo, fa' di me quello che vuoi." Non voleva poi poco, Aida, o almeno nulla di meno del solito, ch'era abbastanza: di poter scegliere nel mucchio di lettere che lui portava a casa prima della consegna le due tre buste che le paressero più promettenti; e di aprirle col vapore, leggere, richiudere in un baleno. Per spasso e pazzia, velenoso piacere dello spionaggio. E con un sentimento, al pensiero di poter vedere e sapere non vista, così smemorante da restarne attonita tutto il giorno, come dopo un deliquio d'amore, uno di quelli in cui cadeva ogni sabato fra le braccine di lui, chiudendo poeticamente gli occhi nel buio e travestendolo dentro di sé in un uomo più uomo, un attore, per esempio, che avesse ammirato poc'anzi sul telone del cinema Odeon: Nils Asther, Ronald Colman... Finché non ebbe scoperto, durante una passeggiata sotto le palme del Corso, un più gustoso e vicino riscontro nelle guardate e nei baffetti della guardia municipale Nenè Bocchieri.

"'Nzulu," tornò a chiamare Aida. Questa volta il nome suonò di un'ottava più alto e sollecitava ulteriormente obbedienza, secondo un rituale ormai in uso da mesi fra loro: che lui se ne andasse, lasciandola sola al suo vizio. "Perché," spiegava la donna, "occhio non vede, cuore non duole. Tu non devi vedere niente. Tu, se si scoprisse qualcosa, devi poter giurare che non sai niente, non hai visto niente." "E vattene al bagno" si arrabbiava, quando il marito restava strano a guardarla, col caffellatte intatto davanti a sé. Perché 'Nzulu era in qualche modo geloso di quelle emozioni esclusive e avrebbe desiderato mitemente parteciparvi, non tanto per curiosità di segreti quanto per un bisogno ingenuo di connivenza con lei.

Pure anche stavolta remissivamente ubbidì, uscì dalla stanza. Contento che di lì a poco Aida sarebbe tornata a chiamarlo e lui le avrebbe rivisto negli occhi il solito bagliore di letizia e trionfo, e quell'avvampo di scarlatto alle gote, come dopo un bacio rubato. Né sapeva , 'Nzulu Incardona, quale commercio era in corso a suo danno, attraverso le sue stesse mani. Un raggiro facile e quieto, che aveva inventato Aida, accanitamente limandolo nel pensiero fino a farlo diventare un ingranaggio infallibile: la guardia avrebbe imbucato, indirizzandole a se stesso, le missive destinate alla donna. Lei avrebbe sostituito nelle buste i fogli con altri suoi di risposta, passionatissimi, e salati di lacrime, gemiti, risa, giuramenti in nome di Dio. Lasciando a 'Nzulu, ahimè, la parte dell'insipiente corriere d'amore. Senza metterci disprezzo, tuttavia. Poiché anzi, a modo suo, Aida non cessava di portargli affetto. Come a un oggetto o indumento che sia invecchiato con noi, una sveglia, un maglione, che quando uno li butta, una spina di pena gli punge il cuore.

Ora dunque, che lettera di fuoco aveva scritto Aida alla guardia, stavolta! E con che batticuore di colomba risuggellò la busta, mentre nel camerino accanto s'udiva l'onesto sciacquone e i raschi di gola e il fischiettato *Rigoletto* ch'erano i ritornelli della toletta di 'Nzulu. Con che batticuore. Dato che stavolta s'era decisa al passo estremo e nel suo messaggio prometteva all'uomo un incontro. Domani, a casa di lei, dopo l'uscita del marito, che non sarebbe tornato dal giro prima della familiare scampanata di mezzodì.

'Nzulu, volle fatalità che, curvando stretto davanti al portone del mulino di San Giuseppe, scivolasse sul bagnato della pioggia recente e andasse a sbattere col velocipede contro un parapetto di sacchi. Grande fortuna, grande sfortuna. Si rialzò illeso, difatti, sbucciato appena ai ginocchi e infarinato, ma dalla borsa aperta nell'urto tutte le lettere si sparpagliarono. Grande grazia, grande disgrazia: poiché un'ironica mano le raccolse dalla pozzanghera e volle fatalità che di esse la più malconcia e brutta di fango risultasse quella spedita da Nenè Bocchieri al Signor Bocchieri Nenè; e che 'Nzulu credesse bene di rimediare sostituendo la busta con una nuova, dopo avervi ricalcato di sua mano la soprascritta; e che, nel compiere l'operazione, dal primo involucro un ricciolo sfuggisse, d'un colore che il postino conosceva a memoria; e che una rapida indagine scoprisse, non solo in quel pegno d'amore, ma nella notissima calligrafia, e nella firma sfacciata di Aida, le prove di un tradimento che avrebbe fatto arrossire gli angeli in cielo...

Raccontano (nei paesi del Sud non c'è verità che non somigli a una fiaba né fiaba che non sia verità) che 'Nzulu Incardona sia rimasto un'ora a passeggiare su e giù nel cortile del vecchio mulino, parlando e gesticolando da solo. Indi, risalito in bicicletta, abbia compiuto di strada in strada le sue consegne con singolare e prudentissimo agio. Indi, sia tornato a fingere in famiglia fino all'indomani mansuetudine e ignoranza. Ma che all'alba, uscito per il suo giro, si sia invece appostato dietro un cantone, aspettando che la guardia entrasse nel trabocchetto. E che, armato di chiodi, assi e martello, abbia sigillato ferreamente l'uscio di casa, chiamando intanto a gran voce vicini e lontani a raccolta, che guardassero bene i due amanti prigionieri, venuti al balcone a domandare pietà. E che infine, ridendo e piangendo, ingobbito sul manubrio peggio d'un Binda o Learco Guerra, sia corso via dal paese, via via per Mazzarrone e Dirillo, fino alla diga di Licodia, a gettarsi nell'acqua come una pietra, non senza aver prima lasciato sulla spalletta del ponte un povero fermacalzone.

CIACIÒ E I PUPI

Il cimitero dei paladini era in un angolo del soppalco, nel fondaco di donna Ignazia. Giacevano a mucchio lassù, coi cimieri di traverso come coppole di mafiosi, i musi che mostravano la cartapesta, gli scheletri di legno che trasparivano dagli strappi delle gonnelle.

Nuovo del luogo, Ciaciò mise avanti un piede per prova, tenendo l'altro di riserva, incollato al gradino più alto, mentre aguzzava la vista per vincere l'oscurità del locale. La candela con cui s'aiutava non gli bastò, valse più un lampo di luna, da una crepatura del tetto, a svelargli i corpi e i visi, tutta una confusione di pose acrobatiche e tragiche, la medesima scena, quasi, di poc'anzi a teatro, nella valle di Roncisvalle, salvo che stavolta non si trattava di morti dolorose, manovrate dall'impulso dei fili, ma di una catastrofe inerte, senza gloria e senza rimedio.

"Pupo anch'io" si compassionò il ragazzo, sentendosi pungere dietro la nuca il gancio di ferro di un invisibile filo...

Lo distrasse un topo, sortito da un turbante di saraceno, un baldanzoso topo munito di baffi grigi, il quale s'arrestò a tre palmi dalla sua scarpa, seguitando a osservarla con critica condiscendenza. Non era il caso di dargli spago e Ciaciò risolse di entrare, non senza prima avere annusato l'aria per assaggiarne la qualità.

Era buona, profumata da un profumo di meloni così pungente da sopraffare il lezzo della bestiola. Di melone avrebbero dunque odorato i suoi sogni, stanotte. Poiché, topi o non topi, era qui che gli sarebbe toccato dormire, mentre mastro Rutilio russava già nel letto di donna Ignazia...

Tese l'orecchio: il rombo di quel russare saliva dal buio e pareva il ruggito d'una fiera. Non era bello che l'udisse anche Ninfa, dal suo esilio del sottoscala; donna Ignazia avrebbe fatto meglio, nell'occasione, a mandare la figliola in campagna...

Una gocciola calda gli scottò la mano, era ora di sistemarsi. Posò a terra la candela, dandole prima un po' di cera per basamento; poi si distese vestito sul paglericcio di crine, tirandosi la coperta fin sopra il mento. Non era la prima volta, ne aveva dormite tante, notti così, dai tempi dell'orfanotrofio, fra topi e filze di meloni appesi, nei solai, granai, caravanserragli di tutti i mandamenti e circondari della contea...

Guardò il topo che aveva seguito immobile l'operazione. "Malacarne" lo chiamò adagio in memoria di quell'altro, un batuffolo bianco, con cui s'era accompagnato per anni, leggendo ventura di porta in porta, prima di farsi apprendista del puparo Billirè...

"Malacarne" chiamò ancora soavemente, per dare avvio alla conversazione, ma il topo non parve udirlo, fece un breve dietrofront e corse zampettando a nascondersi sotto il manto di re Agramante.

Rutilio e Ignazia, Billirè lui, Badalamenti lei, si conoscevano da bambini, stavano a servizio nella stessa masseria. Ed era stata lei, che non aveva tredici anni ancora, ad aizzarlo, a sfrontarlo, guizzandogli davanti da ogni siepe, mezzo vestita, mezzo no, polverosa, risolente, con quei due cotogni di carne che le indurivano il petto, e un gambo di fiore giallo fra i denti. Finché lui le rovinò sopra, "Mammamia, mammamia!", che per il piacere si torceva tutto dai capelli ai piedi senza sapere come fare, mentre lei, che non lo sapeva di più, traeva nondimeno gesti, parole e gemiti da un suo remoto ripostiglio di scienza infusa, accomodandosi giusta sotto di lui, in un duello e intreccio e alleluia del sangue, di cui non avrebbero saputo ricordare dopo né la durata né quando era cominciato e finito. Se non che, a partire dall'indomani, incontrandosi, si scambiarono un'occhiata di fiele, cominciarono a evitarsi, si tiravano pietre da lontano. Quindi Rutilio andò militare, Ignazia precocemente si maritò. Per ritrovarsi, trent'anni dopo, un mezzogiorno, vedovi tutt'e due, ché lui era venuto a Spaccaforno per dar spettacolo coi suoi burattini, e cercava un fondaco da allogarvisi la notte, e l'aveva riconosciuta sulla porta carraia, in atti di brusca padrona, ma col colpo d'anca e le magre membra brune e gli stessi occhi neri d'un tempo, per cui, mentr'erano ancora per strada, senza badare alla figlia di lei che guardava, le aveva cacciato la mano dentro la veste...

Da quella volta prese l'abitudine di capitare qui da lei ogni volta che poteva, per una notte o due, a rimettersi dalla fatica, dai caldi e geli, e viaggi per fiere e feste, da un capo all'altro dell'isola; e di lasciarle in deposito i pupazzi rotti, le teste di ricambio, gli scarti. Lassù, nel soppalco del fondaco, come in una sussistenza di retrovia, una sorta di magazzino ausiliario lungo la rotta d'una carovana. Le donne aspettavano ormai queste tappe con avidità. Non solo Ignazia ma la figlia Ninfa. La quale veniva crescendo furiosamente ogni mattina, scaltra di sguardi e movenze, sempre più simile alla madre, labbra e narici socchiuse a qualunque ventata di odori e passi maschili le giungesse dalla finestra.

Ciaciò si rivoltò sul saccone di crine, si strofinò con un dito entrambe le palpebre. La cena era stata grassa, di pasta con sugo di seppie e impanate di coniglio. E un dolce, alla fine, grondante di cioccolato, che pareva sciogliersi in bocca insieme alla lingua, ribadendo in ogni boccone il ricordo del precedente. Senza contare quel vino vecchio, un Cerasuolo fosco e forte, di cui però Ciaciò si sentiva ora pesanti le membra, mentre si voltava e rivoltava, col cinema della serata negli occhi: dei due anziani, golosi del cibo, ma più ancora l'uno dell'altra, che si toccavano sotto la tavola e di Ninfa, eccitata anche lei, che beveva come una grande e non si stancava di chiedere: "Da dove venite, dove siete stati, a Catania quando ci andate?"

Quindi mastro Rutilio s'era messo a raccontare l'episodio nuovo che stava preparando per il debutto in città, e aveva mostrato il cartellone dipinto in otto scacchi a colori, con la storia di dama Rovenza, di come giurò di vendicare l'uccisione del germano Oldauro, e assediò Parigi, ed era invincibile, affatturata in ogni parte, salvo (l'oprante aveva abbassato la voce, e guardava di sottecchi Ninfa, col tardivo scrupolo di turbarla), salvo nella sua natura di donna, nell'irraggiungibile inguine; e di come Rinaldo si finse cadavere in campo, aspettando che lei passasse in rassegna i nemici morti, e di sott'in su le ficcò di botto l'arma nel punto. Traendone gran piscio di sangue nero e di morte... E qui Rutilio s'era messo a ridere a scrosci, senza potersi tenere, mentre Ninfa abbassava gli occhi e Ignazia gli dava colpetti col pugno nel ventre e gli diceva: "Che buffone sei, che buffone! Via, andiamo a dormire ch'è tardi."

Questo, ora, a Ciaciò, gli faceva pandemonio dentro la mente, fra veglia e sonno, e sogni agitati, intercalati da effusioni d'aria liberatorie, che all'odore dei meloni, delicatino, mescolavano un aglio più vigoroso e in qualche modo scaldavano l'aggrumata freddura della soffitta.

Con questo conforto tirava mattina, il ragazzo, quando da una voce di tromba si sentì chiamare per nome. Sbarrò gli occhi nella notte: una chiaria di crepuscolo, simile a un livore di luna che grondasse dagli spacchi della volta, galleggiava sulla sua testa. Tiepida acqua, tiepida luna, però. Sebbene si fosse a metà settembre e lui già prima avesse sentito la fitta precoce d'autunno, come un pungiglione fino fino di coltello sotto le costole.

Tiepida acqua, tiepida luna. E Ciaciò vi nuotava a bracciate fiacche, così fiacche che parevano non farlo avanzare d'un metro ma lasciarlo lì a mezz'aria, in un vortice tenero e quieto, a ondeggiare come uno dei pupi suoi, incatenato allo stesso filo. C'era pace, ora, se non la turbava uno scricchiolio leggero, di piedi scalzi che salissero con cautela una scala. Un soffio da nulla, un respiro guardingo. O non piuttosto un sospiro?

Non fece in tempo a capirlo, la tromba aveva detto di nuovo il suo nome, e lui si mise a seguirla, correndo per corridoi infiniti di nuvole, sfiorando con le piante i biocchi lanuginosi, i grappoli molli dei cirri, scansando saette e stelle con una mano. Una barba di Padreterno comparve, sparve da un oblò d'azzurro, come un'insegna di stazione da un finestrino. Ciaciò ne ebbe appena raccolto il sorriso che la squilla tornava a intronargli le orecchie, lo spingeva con evidenza a un appuntamento.

"Che succede?" si chiese, seppure desiderando confusamente di non sentirsi rispondere, gli piaceva scivolare così, senza incontrare spigoli né durezze, per entro un imbuto di umida, misteriosa felicità.

Durò poco. Ora il terreno s'era fatto saldo sotto i suoi piedi: un sentiero di bosco che i suoi piedi toccavano solido attraverso i mucchi di foglie cadute. Un bosco buono per cacce, per singolari tenzoni. Dove la tromba strombettò più forte, insostenibile, più un annunzio di Giudizio che un hallalì. E Ciaciò vide scendere lento lento e prendere terra al centro della radura, gigantesco, bardato d'oro e d'argento, e crestato come un sovrano, il cavallo detto Ippogrifo.

Una bestia, solamente una bestia? Poiché, sotto il trofeo del pennacchio e i paraocchi istoriati, le froge s'illanguidivano d'una malinconia quasi umana, mentre i colpi della coda sui fianchi, e degli zoccoli contro il suolo, volevano, nei loro modi, certamente significare un pensiero.

Che fare, Dio mio, Ciaciò, non sapeva che fare. Il cavallo sembrava avercela proprio con lui, volergli dire qualcosa. Tanto più chiaramente quando, ventilandogli attorno l'aria col suo ambio maestoso e pacifico, venne a inginocchiarsi ai suoi piedi, mostrando di chiederlo sul dorso per conduttore e padrone.

Che fare, Dio mio. L'Ippogrifo era addobbato meglio d'un santo patrono, luccicava di borchie, tintinnava di sonagliere. Piume di fagiano gli arricchivano, rosse e verdi, l'occipite; una gualdrappa rabescata gli cascava dalla groppa; e chiodi di rame, stelline, galloncini, dentelli, rosoni, nastri, piastre, seminati dovunque, dal cavezzone al sottopancia, gli seppellivano quasi le membra. La criniera, ora che s'era accosciato, sventolava con un moto che sembrava di leone; mentre l'ali, sebbene piegate e flosce come vele di bastimento, fremevano di quando in quando sotto la mano che le carezzava, sobillate sottopelle da un'elettrica impazienza di volo.

Ciaciò non sapeva che fare, la tentazione era grande. Carezzava il destriero, gli parlava, lo sentiva docile, volenteroso. Ma aveva appena insinuato il primo piede nella staffa che un grido d'aiuto lo fermò, di un'Angelica scarmigliata che fuggiva fra le piante, e la incalzava un infedele dalle insegne nere, il famoso Gattamogliere. "Cavaliere cristiano!" gridava la bella a Ciaciò. "Abbi pietà di me, tapina cristiana d'assai gentile lignaggio!" E così dicendo gli cadde dinanzi, mentre il moro sopravveniva. Ciaciò lo attese a piè fermo, con le labbra già gonfie d'una tirata che conosceva a memoria, quella di Rinaldo, che aveva ascoltata tante volte dalla voce di mastro Rutilio, intanto che gli teneva lo sgabello sotto i piedi e andava oliando le carrucole dietro le quinte del baraccone. E se l'era cantilenata e cantata a sazietà, nei vespri di giugno e luglio, ogni volta che il puparo scioglieva i muli dal carro e s'appisolava sotto le stanghe, dopo la spanciata di sarde e pane. Mentre lui, Ciaciò, preferiva starsene seduto in mezzo alla famiglia dei pupi, a lustrarseli, a parlargli, a domandargli inutilmente una favola, a meno che lui stesso, recitando tutte le parti a vicenda, se la inventasse...

"Gattamogliere" declamò dunque, impugnando un ramo che aveva raccolto da terra. "Forte sei assai con le femmine, ma più t'incresce, credo, combattere con un uomo." E alla fanciulla: "Non temere, damigella, che, se fossero cento com'egli è uno, non ti torranno un capello, di questi tuoi d'oro." Ma Gattamogliere, e rideva: "Costui vuole proprio morire." Quindi, venendogli incontro: "Come osi, vile marrano, attraversarmi il sentiero?"

Ciaciò si mise in guardia e il silenzio si fece grande, nel bosco. L'Ippogrifo, che pareva volesse disporsi al sonno, delegando a un pigro ondulare dei muscoli di cacciargli le mosche di dosso, drizzò di botto come un alberello la coda e grattò accanitamente col piede lo stipite d'un carrubo. Una serpe acciambellata aprì l'occhio di tra le spire, sull'alto loggione d'un ramo un uccello si posò.

"Raccomandati al tuo Macone," disse Ciaciò, mettendo in resta la rustica picca e piantandosi a gambe larghe in mezzo alla strada. Ma l'altro gli veniva già sopra con modi allegri di giostra, come quando si corre la quintana nelle giornate di festa, e dal palco guarda la figlia del re.

Non gli giovò: con uno scambietto villanesco il ragazzo schivò la lancia, pronto subito dopo, con lo spuntone della sua arma, a trovargli la fontanella del collo, dove un bavaglio esiguo di pizzo lasciava scoperta sotto il mento la carne, al sommo della gorgiera. Non senza, però, che il moro, nell'istante di esalare l'anima dal gorgozzule, gli mordesse la guancia con un colpo di rimbalzo. Piombano entrambi al suolo, il morto e il ferito, ma sul secondo amorosamente già la donzella si curva, lo solleva fra le braccia, lo inonda col profluvio dei biondi capelli, gli sugge con le labbra la piaga, senza staccarle nemmeno quando l'esanime mostra nell'ansare più rapido e nella porpora nuova del viso il brio e l'entusiasmo della ritrovata salute...

Ciaciò si riscosse: una ragazza di carne vera stava accucciata contro di lui sotto la coperta e il raggio di luna le sfolgorava sopra la fronte. "Mi fai dormire vicino a te?" bisbigliò la voce di Ninfa. Era venuta su quatta quatta, nel camicione bianco bordato di greche rosse, che la faceva somigliare a una collegiale, e s'era accucciata al suo fianco. Chissà da quanto tempo stava lì a guardarlo senza parlare...

Ciaciò s'impressionò. L'inondazione di luna gli mostrava un faccino fra due grosse trecce annodate e pendule lungo l'omero, donde braccia puerili e nude sporgevano. Ma la voce era di donna, roca e gorgogliante, da far pensare alle tacchine che pascolavano nella corte del marchese di Scordia al tempo della sua infanzia.

"Ninfa, che fai tu qui?" non seppe che domandare, mentre con le palme delle mani cercava quasi di pararne le parole e di sottrarle all'ascolto distante di donna Ignazia e Rutilio. Le si fece perciò più vicino, le parlò con le labbra dentro i capelli, in un sussurro ch'era già quasi un bacio. Lei lo eluse, selvatica, ombrosa, e tuttavia cedevole, nello spazio minimo che le restava, tra il corpo del giovane e il muro. "Ho freddo" ripeté, "ma tu non toccarmi. Voglio solo stare qui al caldo, lontano da quelli." Un rancore le travolse la voce, non doveva poi piacerle del tutto l'intrusione di Rutilio in famiglia, abbenché ne apparisse ogni volta esaltata e beata. Forse, chissà, era gelosa un po' della madre...

Questo pensò il ragazzo, ma in modo confuso, come confuse erano sempre le sue ragioni, corse appena da un trasalire di malizia carnale, un moto di esultanza fisica che surrogava l'intelligenza ma che ora, ad ogni modo, un'apprensione sopravanzava. Se mai dovesse, scoprendosi l'audacia della bambina, perdere il posto suo di garzone, tornare ai suoi vagabondaggi e digiuni di zingaro, da una prigione a un addiaccio, senza mai arte né parte, sempre al servizio della sua miseria o di peggiori padroni.

"Vattene via," la supplicò con le mani, ma quella non si scompose, gl'ingiunse invece: "Sta buono dormi," con tale accento d'imperio che Ciaciò richiuse gli occhi, puntandole solo il gomito contro il petto per impararne il tepore, e ricadendo immediatamente nel medesimo sogno di prima: nel medesimo attimo e luogo, né più né meno. Come succede alle menti innocenti, che camminano sul crinale incerto del tempo e confondono volentieri le favole false e le vere.

Rieccolo dunque nel bosco, in braccio alla donzella inseguita. Mentre il sole viene e va tra le fronde, simulando un abbaglio di marenghi che una mano sporga e ritiri. L'Ippogrifo non si è mosso, sembra un dragone a guardia della salma di Gattamogliere, ma il silenzio non dura, rotto senza fine da uno *zuchiti zuchiti* di cicale inferocite.

Ciaciò dalla musica si lascia prendere, che lo dondola da ramo a ramo, in un fiottare d'onde sempre più manse, come quando cessa il vento e della risacca sopravvivono appena rimasugli di spuma contro gli scogli, svigorite carezze di una innumerevole mano...

Ma allora? È questo ciò che chiamano amore? Due insieme, con gli aliti mischiati a farne uno solo, che è la stessa lena vagabonda del mare... E questo tremito, questo inzuccherato morire e rinascere e rimorire di tutte le radici del cuore, questo tubare di voci e lingue dentro il disordine dei capelli...

Oppure è un'altra e più dura cosa, l'amore: un colpo di spada cieca, il colpo traditore di Rinaldo a dama Rovenza?...

Ciaciò si tese nel sonno a capirlo, ma già la donzella s'era tolta da lui, s'era portata accanto all'animale giacente, d'improvviso lo montò, nemmeno si volse indietro. L'Ippogrifo schioccò l'ali, non aspettava che questo. Ciaciò lo vide aprirsi nell'aria come un immenso ventaglio, dovette piegare il capo al soffio del suo passaggio. Ebbe appena il tempo di scorgere, di sott'in su, i quattro zoccoli impennarsi tra le cime degli alberi e scintillare nel sole. Poi l'uccello fu solo un punto, lassù, che una nube accolse e abolì.

Quando Ciaciò riaprì gli occhi, Ninfa se n'era andata. Erano rimasti i pupi, nel loro angolo, un plotone di larve livide e sghembe. C'era Astolfo, spennacchiato e monco d'un braccio; Orlando, storto d'occhi e di gambe; Gano, squartato in tre pezzi... Oh Gano, se non sembri mastro Rutilio, identico di mustacchi e di guardatura! Ma voi anche, Fioravante e Rizieri, tu anche, Guerino il Meschino, come siete caduti dal trono del vostro valore, che guerrieri siete ormai senza guerra e senza valore...

A Ciaciò venne in mente l'ossario che aveva visto una volta nella chiesa dei Cappuccini di Comiso, coi santi padri e i romiti distesi nei loro sai di bigello, ma fatti polvere d'ossa, cineree guardie del niente. Così finisce il valore, la parola. Così i paladini di Francia. Così, domani, Ninfa e Ciaciò... Ninfa, dov'era andata?... Ed era mai venuta, quassù?... Il ragazzo cercò nel materasso un incavo tiepido, un capello, un segno qualunque. Non trovò nulla, l'aria odorava sempre di melone dolce e di topo. Si passò sulle labbra la lingua per riconoscervi una saliva straniera. Sentì solo tornargli l'agro della mangiata d'ier sera. Anche la testa gli doleva, ora, la sentiva di piombo, attaccata malamente al supporto smilzo del collo. "Pupo anch'io, peggio di loro," tornò a dirsi, guardando un'ultima volta la truppa dei burattini sparsa e disfatta. Poi scese dal soppalco, raggiunse a tentoni, nella scarsa luce dell'alba, la voce che lo chiamava. Mastro Rutilio s'era già lavato e vestito, dovevano ripartire, e c'era un altro giorno da vivere.

L'USCITA DALL'ARCA
ovvero
IL DISINGANNO

Attraverso la fessura del fasciame la luce a pelo dell'acqua apparve fosca, vischiosa, una poltiglia così densa da potersi toccare, se non si fosse sparpagliata e franta solo a tentarla con l'occhio. Luce... ma che luce è mai una luce che non è di sole né di luna, ma è solo una verdeoliva oleosa evanescenza, un ondoso olio d'aria rappreso attorno allo scafo? Veniva voglia di batterla con un remo, di pungerla con un arpione: una cosa nemica, fra le tante nuvole che sorgevano dai gorghi e vi esitavano sopra a galleggiare, prima scomparse che apparse: tronchi bruni d'alberi, flotte di gonfi annegati, brandelli di nuvola nera prigionieri fra due creste, minacciose fate morgane...

Noè era stanco di sbarrare giorno e notte le pupille fra l'uno e l'altro sguancio della feritoia come da un secondo astuccio di palpebre; stanco di dover fissare sempre lo stesso riquadro di cataclisma dalla sua seggiola di sentinella, mai lasciandosi distrarre dal pandemonio di voci animali e umane che gli tuonava dietro le spalle...

Non aveva voluto saperne sin dal principio, di mischiarsi con l'immane ciurma, nemmeno coi più intimi ch'erano carne e sangue suoi; meno che mai con le nature più estranee. Mangiassero, copulassero, dormissero pure a piacere, giù nella pancia dell'arca... Lui s'era accucciato in una gabbia da gabbiere, con solamente una ciotola accanto, dove silenziosamente al mattino la sua donna sarebbe venuta a deporre la razione del mangiare e del bere. Qui s'era alloggiato e vegliava, incidendo con un ferruzzo una tacca nel legno, per ogni giorno di diluvio che la Voce aveva annunziato. Ora alla fine di quella notte le tacche sarebbero state centocinquanta.

Quantunque non ci fosse modo in quel frangente di pilotarla, l'imbarcazione era a regola d'arte e Noè se ne sentiva umilmente orgoglioso. Così agile come robusta, calafatata dentro e di fuori, lunga trecento cubiti, larga cinquanta, alta trenta... E mandava, sferzata dall'uragano, un aroma di resina così pungente da convincere il cuore a durare. Gli bastava, a Noè, quando più fosse cupa l'aria, e più fischiassero i venti, e più sembrasse approssimarsi la fine, sdraiarsi sul fondo della chiglia, dove appena un breve spessore resisteva fra la sua carne e l'abisso, gli bastava respirare a piene narici quell'odore di legno, ch'era odore di bosco e d'altura, e di vita ancora viva, domestica e innocente, per esilararsene il cuore. Una casa era l'arca, e sorvolava il fiume di tenebre, irrisoria e inaffondabile come una piuma d'uccello.

Più che una piuma, in verità, ai suoi occhi di capitano. Piuttosto, uno sprone di monte natante, una fortezza a più piani, con un tetto di travi in croce, e una porta sigillata di doppia pece. L'arca! L'uomo quasi l'amava dopo tanti giorni. E per farsene meglio padrone, s'era costruita una scala di corda, con cui arrampicarsi da un piano all'altro, svelto a onta degli anni, ch'erano innumerevoli, e sempre in moto, su e giù, qui a osservare da uno spiraglio l'onda, come ruggiva e si muoveva torbida e ostile, lì, dalla specola più alta, legato a un palo, se mai gli giungesse dall'orizzonte un indizio di remissione. Senza mai scorgere, a vista d'occhio, che un incombere e franare di cataratte di piombo, muraglie cieche che solo all'ultimo momento s'aprivano davanti al guscio di pino, salvo a riagguantarlo subito e giocare a rilanciarselo, mentre lui nella sua gabbia vegliava, oscuramente pago di abitare entro la liquida furia, come un tempo, prima di sgusciarne per vivere, nel lago del grembo materno.

Ora fra l'uomo e quel corpo d'acqua, quella bestia sterminata, da centocinquanta giorni una fatidica sfida vigeva. Non anche una pace, domani? Lui non sapeva cosa rispondersi, sebbene ogni tanto, meno per offa che per disprezzo, rapisse da bordo una provvista qualunque da lanciare in bocca al nemico, godendo di vederla un istante ballare in tondo sul vortice, prima di sprofondare e sparire...

Tese l'orecchio, un tumulto di voci giungeva da un luogo invisibile, alle sue spalle. I tre figli stavano certo giocando ai soliti dadi, davanti alla solita platea delle mogli. Mentre il resto dell'equipaggio giaceva, le bestie impure e le pure, ciascuna coppia stivata nel suo spicchio di cella, sepolta in un'ottusa ignavia di succubi. Meglio così. Avrebbe saputo badare da solo alla poca manovra possibile, come in tutti questi mesi aveva fatto, numerando i giorni e le notti, in assenza d'astri, secondo le vicende del vegliare e dormire, a cui fortunatamente le sue membra obbedivano ancora.

Reliquia dell'esistere, malleveria del riesistere, questa fedeltà delle membra alla veneranda tregua del sonno... Non senza sogni: sogni di quiete presso una siepe, e una musica li guidava. Sogni di terra, di stagioni e stelle, come può ricordarsele un morto. Della terra com'era stata una volta, con spighe e grappoli e brezze e scioltezza d'acque correnti che un barbaglio di sole d'improvviso ferisce. Sogni ch'erano lucine accese, lucine di lucciola accese nel buio di una sola memoria terrena, sopra una tremula tavola, in balia di un oceano; di una sola memoria pulsante in un globo deserto, in corsa attraverso i campi del silenzio eterno da cui la prima volta la Voce era giunta alle sue orecchie...

L'uomo cercò nel cielo un punto che sapeva lui solo, ma sulla sua testa non scorse che una caverna di buio, un crepaccio d'occhio piangente, donde il diluvio sembrava cascare a dirotto, come una piena di lacrime senza sponde. Era Lui, Jahve, in persona, che piangeva così dall'unico occhio crepato, e il Suo pianto erano il nembo e la notte, il precipizio e la morte. Si sarebbero mai placati, quella collera e quel dolore? Sarebbe mai tornata a parlare, la Voce? La stessa che Noè aveva creduto d'udire un mattino, inaudibile agli altri, e vi aveva inteso un giuramento, un'alleanza, un amore... la salvezza, la resurrezione, la vita...

Per la centocinquantesima volta tornò a tuffare lo scandaglio nell'acqua, benché sapesse ch'era vano pretendere di misurarne il livello. Sceglieva per la bisogna le rare pause fra due meteore, quando all'intemperie più clamorosa subentrava la povertà della pioggia, quella diaccia, livida, immutabile caduta... Allora, se per avventura la nave era tornata a rollare nei paraggi di taluna alpe sommersa, di cui attraverso i flutti s'intravvedessero i picchi, e la cui petrosa barriera avesse nei primi tempi consentito un rifugio al di qua della cintura delle lagune, se dunque la nave era per sfiorare a perpendicolo un fondale accessibile a un'àncora palombara, il vecchio gettava il suo amo al profondo, incurante di mettere a repentaglio la chiglia contro una punta nascosta. Come stavolta, che intese una commessura stridere sotto i suoi piedi e da una doga sdrucita scorse trapelare e serpignamente invadere il pavimento una lingua di mare scuro. Né si sbigottì, l'uomo, ma fu quasi contento. Poiché quell'intoppo voleva dire che il solido della crosta non era lontano, che una scheggia di suolo terreno aveva toccato, sia pure per ferirli, i suoi figli...

Era il suo primo riconciliarsi con la terraferma, da quando aveva visto dall'arca gli estremi fastigi d'una città colare a picco, inceneriti dal fulmine, friggendo come ferri di forgia immersi dentro un bacile. Fu quasi contento, dunque, e si strappò di dosso le vesti, ne fece una zeppa con cui tappare la fenditura, la rappezzò con mani sapienti. Quindi salì sul tetto e gridò tre volte all'acqua il suo nome.

Centocinquantunesimo giorno. Noè si levò di buonora. Pioveva ancora ma rado. Il cielo era sempre nero, ma d'un nero che vuol pentirsi. Anche l'oceano pareva volesse mutare pelle, trascolorava a ogni colpo di vento, ed erano raffiche rase, di irruenta e generosa natura, gagliardi sospiri e respiri di Dio. Parve al patriarca di udire in quel vento parole, né capiva cosa dicessero, senonché, esponendo le palme fuori della gabbia, le ritirò non meno asciutte di prima, se le passò asciutte sul viso.

Non volle chiamare i figli, non disse nulla alla moglie, bensì s'accucciò nella sua botola a ripensare un pensiero che già prima gli aveva riempito la mente senza che si capisse se era di esultanza o di terrore, un informe pensiero dentro il quale s'addormentò. Quando rinvenne e fu salito sul tetto dell'arca, già nel breve intervallo minuscole eminenze avevano fatto tanto di venire alla luce, si vedevano grondanti risorgere dall'universale naufragio. Ecco qui due argini crescono a inalveare un canale, laggiù si dirama un delta, altrove s'arriccia una sirte. La nave stessa, pur così catramosa e negra, somiglia a una cicogna che nuoti da riva a riva e si festeggi con l'ali.

Allora, come s'affloscia un padiglione o una vela, il tetto di nubi si ripiegò su se stesso, frecce di luce lo ruppero, un arco immenso di sette colori s'incurvò d'improvviso nel cielo. E un sole paonazzo, rotondo, furiosamente felice, sfolgorò sulla terra come su un infinito scudo di rame. L'uomo con un fischio chiamò la colomba sulla sua spalla e da qui con un bisbiglio la mandò verso le cose.

Un mattino Noè decise di venir fuori. La colomba era tornata e ripartita, tornata ancora e ripartita ancora. Ormai lui non s'aspettava più che tornasse e il cuore gliene era radioso. Uscì col ramoscello d'ulivo in mano, cautamente toccò col piede scalzo la coltre di fango giallo dove la nave s'era chetata.

I primi passi furono d'ubriaco. Eppure s'avviò coraggioso, affondando fino al ginocchio, su per un crinale che prometteva un belvedere, lassù. Passo passo guadagnò la cima, da una balconata di roccia s'affacciò finalmente, avido di battezzare e amare con gli occhi la vergine terra. E la vide e la amò: sudicia di ruggini e muffe, fumosa di vulcani, pezzata da mille pozzanghere ma rutilante, oh quanto rutilante, di festa e di gioventù!

Quando ridiscese, lo attrasse un rimasuglio triangolare

d'acqua in una cavità della pietra. Non gli dispiacque la faccia che vi specchiò, cotta dal sale e dal vento, arata da mille spaventi. Una faccia ch'era maestosa d'anni, ma, insieme, acerba e attonita, tale e quale la terra, e altrettanto corrusca di un sotterraneo sorriso. Il quale divenne riso spiegato, udendo il subbuglio davanti all'uscio dell'arca, donde, senza più legge, le famiglie pedestri, volatili e rettili sciamavano fuori, correndo, strisciando, volando a grotte, nidi, covili. I suoi stessi figli, Sem, Cam e Jafet, vide andarsene, ciascuno per la sua strada. Solo la donna taceva, in piedi accanto a lui, e lui le carezzò con la mano i capelli.

"Guarda," le disse e mostrò col gesto la terra, gli arcipelaghi, i golfi, il cristallo dell'aria, le peripezie delle valli e dei fiumi, il teatro degli orizzonti. Un tanfo di putredine dolciastra se ne levava tuttora, ma nel limo già misteriosi semi fiorivano, diamanti di stille pendevano dalle fronde, radici si tendevano a berle, occhi di creature scintillavano freschi nell'erba.

Il vecchio volse il capo al cielo, aspettando. Il cielo era azzurrissimo e vuoto, dove un arcobaleno ironico impallidiva. Poi una colomba apparve lassù, la sua colomba, e sembrava sbandare con ali goffe, sbalordita dal sole. Noè non s'avvide del falco, sentì solo un frullo, uno strido e piombargli un'ombra bianca fra i piedi, spruzzargli le gambe col sangue della sua gola squarciata.

Ma come? Noè aguzzò occhi e orecchi sospettosi sul mondo. Stupefatto e sospettoso spiava il mondo redento. E udì le voci irose dei figli, vide su un sasso chiudersi un pugno, un ragno tessere fra due steli una tela e una mosca ronzarvi accanto. Un lupo urlò dietro un agnello, una vipera morse un calcagno... Ma come? L'uomo chiese con gli occhi alla donna e la donna gli rispose con gli occhi. Una lacrima scorse a Noè lungo la gota, si mischiò col pelame del mento. Lui la pulì col rovescio della mano, curvò le spalle, s'incamminò.

"Ma come?" si domandava.

L'INGEGNERE DI BABELE

Lo vedevo ogni giorno al bar per il caffè delle nove, e ve lo ritrovavo la sera, seduto allo stesso tavolo di marmo, con una sporta di libri accanto e una biro in allarme fra l'indice e il medio. Calvo, tarchiato, spiritato negli occhi, percorso ogni cinque minuti da un tic che gli elettrizzava la faccia. Febbrile lettore, s'interrompeva di quando in quando per ricopiare brevemente una frase su un notes, indi ricominciava. Un cliente senza nome, mi dissero, ma al bar lo chiamavano Robinson.

Un mattino seppi perché. S'era messo a piovere, non potetti uscire. Stanco di far da unico spettatore a due pensionati che giocavano a flipper, mi sedetti di fronte a lui, mi presentai. Non mi rese la pariglia, mi additò su un rotocalco fresco di stampa un titolo: *Torniamo a Matusalemme* e un sottotitolo: *La durata della vita umana s'allunga*. E come mi mostravo compiaciuto, squadrandomi fra indignazione e compatimento, così perorò: "S'allunga, e con questo? Prosit a tutti voi! Ma il vero vantaggio sarebbe se, viceversa, l'universo del conoscere si riducesse. A che serve codesta longevità, quando nella valigia del vostro cranio non sarete riusciti a stipare nemmeno la miliardesima parte dello scibile possibile? Un tempo bastava campare quarant'anni e studiarsi la *Storia Naturale* di Plinio, e si poteva morire in pace, sazi di viste e visioni. Oggi sono tanti i libri, le scene, le pitture, le musiche, i visi, i cieli di terre lontane, e così magra la parte che ne tocca a ciascuno, da scoraggiare ogni intelligenza, ogni fame..."

Non ero preparato a un discorso importante: "O perché non contentarsi del poco," proposi. "Di quel poco che gli occhi e gli anni ci regalano. Molti vivono felici così."

Si arrabbiò: "Felici! E come possono se esiste nel Lincolnshire una *Salomè* del Reni che mai vedranno, se mai leggeranno l'*Ars Magna* del Cardano, mai baceranno le labbra della cassiera Clorinda, laggiù? Come si può esser felici se così poco possiamo, del tutto o del moltissimo che vorremmo?"

Parlava alterato al punto che Clorinda si sentì da lontano chiamare in causa e a ogni buon conto gli sorrise il più vermiglio dei suoi sorrisi. "La terza impossibilità," celiai, "non mi pare poi del tutto impossibile..."

"Capisci solo a metà," mi redarguì, passando al tu, ingiuriosamente. "Per ogni cassiera disposta, ne restano milioni indisponibili ai quattro angoli della terra. Non fosse che per difetto di tempo, di farse, d'incontri. Altrettanto coi libri: anche morendo assai tardi, moriremo troppo presto, con entrambi i pugni pieni di mosche..."

Gli diedi corda: "Concedo per oggi, ma in futuro?"

"Peggio," rispose reciso. "Fra centomila anni, quand'anche l'uomo a furia di vitamine e trapianti pervenga a usurpare l'età degli antichi patriarchi, si troverà sommerso da una tal mole di carta da non potersene cibare se non in dosi da farmacista. Un rigo per Napoleone, non di più, uno per Hitler, se si vuol far posto ai numerosi colleghi che avrà saputo frattanto partorire la storia. Poiché una cosa è pacifica: fra centomila anni agli studenti del tempo le vicende mondiali saranno raccontate sempre in un corso di tre volumi, suppergiù alla media di trecentotrenta secoli l'uno: un secolo per pagina, insomma..."

Non ci avevo mai pensato e la prospettiva mi divertì: "Poveri i nostri politici! Tutto il secolo ventesimo in appena trenta righe di sessanta battute... Si starà pigiati, ho paura. Quanto agli scrittori odierni e alle loro probabilità di sopravvivenza..." Mormorò, d'improvviso con timidezza: "Io un rimedio lo avrei." Si corresse: "Che dico un rimedio, una miserabile pròtesi, e tuttavia

meglio che niente. Il libro di Robinson, intendo.''
Lo invitai con gli occhi a spiegarsi. Riacquistò sicurezza, diventò didascalico: ''Dimmi, quali libri pensi che Crusoe porterà sulla spiaggia dell'isola la prossima volta? O piuttosto, poiché i suoi bagagli saranno presumibilmente tascabili, quale unico libro?'' Stavo per aprir bocca, mi fermò con la mano: ''La *Bibbia*, il *Mahābhārata*, il *Capitale* spiegato al popolo? Mai più, bensì la più aggiornata edizione d'un *Dizionario di citazioni: Dispar et unum, La Mela d'Eva, L'abbecedario supremo*, o come diavolo si chiamerà...''
''Un centone di battute,'' feci dubbioso.
''Un centone,'' tagliò corto. ''Non c'è altro vademecum o scatola nera a disposizione, chi voglia mettere in salvo per i posteri della post-storia una reliquia almeno di quel che l'uomo ha saputo pensare confusamente nei secoli.''
''Tutto qui?'' feci. ''Un fior fiore di frantumi avvolti nella stagnola? Non mi pare una grande idea. Mi ricorda quel governatore di Arizona o Nevada, non è gran tempo, che fece murare in fondo a una catacomba di calcestruzzo un concentrato del nostro vivere duemilesco da destinarsi ai sopravvissuti della prossima apocalissi. È una cosa simile che hai in animo tu?''
''E se fosse?'' strillò. ''Non c'è nessuno fra i tropi della retorica che valga la sineddoche, la particola in cambio del tutto. Nessuno che possegga altrettanto potere di allusione e di illusione. Non per nulla se ne usa promiscuamente così nelle sublimità dell'Eucaristia come nelle prosaiche ricette della medicina omeopatica... Senza dimenticare il costume pio degli antichi di chiudere accanto al sepolto, per viatico funerario e riassunto della sua vita, granelli di frumento, pettini d'osso e monili...''
''Il nostro caso è diverso,'' obiettai. ''Si tratta di spremere, tritare, amputare migliaia e migliaia di pagine eccelse e di servirne un immangiabile spezzatino. Preferisco il silenzio a un simile balbettio di eunuchi a concilio.''
Esitò, sbriciolò con due dita una zolletta di zucchero nel piattino: ''Ma già domani o dopodomani il diluvio...''

"Finirà in un bicchier d'acqua, come quello di stamani," lo misi a tacere, mostrandogli attraverso i vetri il cielo tornato sereno e l'asciutto viavai dei passanti.

Così lo lasciai, avevo un appuntamento.

M'incuriosiva. Chiesi in giro, seppi ch'era stato bibliotecario in una grande città, poi licenziato per un oscuro affare di volumi, chi diceva rubati, chi mutilati con le forbici, incongruamente. Forse più vera questa seconda voce, dal momento che al bar una mattina lo sorpresi in atto di ritagliare con un par di forbici, appunto, brandelli di pagine anche minimi, che incollava insieme poi con lo scotch e insinuava, fra due guaine di cellophane, in uno di quegli album in-folio dove si conservano i progetti degli ingegneri. Capii presto che anche il suo era in certo modo un progetto edilizio, da ingegnere di Babele, ispirato a una logica che, seppure per sei giorni m'era sembrata perversa, il settimo mi sedusse.

Fu quando mi consentì di esaminare qualche specimen del suo lavoro. Un'impresa mirabolante, mi accorsi subito, inconfrontabile con i comuni repertori di aforismi che, attraverso stanche catene di plagi, si rubano a vicende le stesse spiritose bugie; bensì, messa insieme a furia di letture eccentriche quanto mai, un'epitome certosinesca di *incipit* e *desinit* memorabili, un *panopticon* e *bric-à-brac* e *scrapbook* e *merzbild* e *digest* e miniera e mosaico e *summa* di motti, epigrafi, lampi, moralità, *greguerias, agudezas, obiter dicta, disparates, poisons, fusées, mots-sésame*, versi d'oro, foglietti della Sibilla... un incollaggio di schegge senza numero, sottratte occhiutamente a sotterranee Postumie e a solenni Partenoni, per essere offerte alla nostra impotenza in cambio delle desuete, ormai inconsumabili nozze con la polvere del passato.

Il primo sentimento era di trovarsi una domenica a Ostia ma subito dentro il frastuono e la calca un disegno s'intravvedeva, ch'era di convocare a deporre sullo stesso tema, futile o grave che fosse, le voci più dissonanti, da Giobbe a Karl Kraus, da Nostradamus a Paul de Kock, sicché ne sorgesse un contraddittorio arguto di spiriti attorno a una tavola non precisamente rotonda, un miscuglio di assemblea giacobina e di togata assise accademica: dove *lacrymae rerum*, vituperi, preghiere, sillabe eterne ed effimeri calembours si rincorressero da un capo all'altro, rimandandosi come palle di gomma le repliche d'uno stupefacente tamburello intellettuale e fantastico.

Immaginate l'eroica ottusità e pazienza di Bouvard e Pécuchet al servizio d'un Montaigne, d'un San Gerolamo. Immaginate Faust, oppresso nel suo "regno delle tignole" dall'incombere di cento scaffali, il quale ottenga da Mefistofele, pagando con l'anima, di potere ridurre in un sol tomo di mille pagine la quintessenza e il mistero, la verità e la bellezza d'ogni scrittura: Libro dei Libri, solitario alambicco che converte in oro massiccio le infinite cascate d'inchiostro scorse nel mondo da quando qualcuno scrisse sulla sabbia con un dito la prima parola di spavento o d'amore...

Questo era, sia pure in abbozzo, l'opera che avevo davanti e che sfogliavo sul tavolino di marmo sotto gli occhi brucianti di Robinson e il cipiglio sardonico del caffettiere.

"L'io è odioso" proclamava una scheda, ma subito altre volubilmente la rimbeccavano: "Frase da giansenista invidioso", "La cosa più senile che sia stata mai pensata sugli uomini", "Sarà odioso il vostro 'io' non il mio. Io il mio lo avrei amato in un altro. Dovrò fare il difficile perché si tratta del mio?"... E via avanti così per un pezzo, battibeccando tutti quanti come galline, Pascal, D'Aurevilly, Nietzsche, Gide... Mentre su un altro foglio Kafka tirava per la manica Baudelaire: "La creazione non rappresenta una caduta di Dio. Noi siamo solo uno dei suoi malumori, una giornata storta"... Che meraviglia se sotto la voce "Luna" udii, o mi parve, i bemolle di *Blue Moon* fiorire in sordina sulle labbra d'un pastore errante nell'Asia?

Robinson impazzì cinque settimane dopo. Di colpo, come uno lo fulmina un embolo. Venne al bar, ch'era divenuto il nostro studio, ormai, durante le ore morte fra le dieci e mezzogiorno, e vuotò sul tavolo il suo carniere: un fascio di notule, il risultato dei suoi spogli del giorno prima. Mi sorprese l'aria di spocchia trionfale e maligna con cui s'accinse alla lettura di rito. Vidi subito che si trattava di apocrifi, citazioni da opere inesistenti, costruite con un gusto così smaccato dell'irrisione da doversene escludere ogni uso che non fosse salottiero o goliardico. Ascoltai, comunque, e sorrisi, battei le mani, persuaso che avesse solo voluto prendersi una vacanza. Senonché lui serio serio pretendeva l'inclusione nell'Opus, né ammetteva che si trattasse di falsi, bensì sosteneva ch'erano scoperte sue, da opere ghiotte, introvabili, ignote alle bibliografie. Per amor di pace acconsentii, ma turbato, non riuscendo a intendere cosa covasse sotto una simile stravaganza. Leggevo, rileggevo gli apporti né mi davo pace: "Preferendo ai caffè della moglie una sostanziosa cicuta...", questo era, a suo dire, desunto da un capitolo perduto dei *Memorabili di Socrate*. E seguiva, da una *Storia dell'automobile* di Tristan Tzara e Isotta Fraschini, un bisticcio su Lux e Fiat che mi lasciò senza fiato. Ancora, una ricetta indigena, nei *Lieti tropici* di Venerdì, deplorava l'incommestibilità delle carni di naufrago, così tigliose...

Volli stare allo scherzo, quando tornò gli affondai nella guancia un dito: "Sei più paffuto che mai, Robinson, amico mio! Che te lo sia mangiato tu, Venerdì?"

Mi prese a braccetto e mi sussurrò con mistero all'orecchio di sì.

Da allora non passò giorno che non portasse decine di simili insensatezze, trascritte su strisce sottili e incollate sui grandi fogli che ho detto. Sostenendo non più di averle dissepolte da qualche archivio segreto ma sognate sul far del giorno, ch'è indizio di verità. "Assoli d'olifante, telegrammi di poche parole!" declamò da un'improbabile *Chanson de Roland Barthes*. Oppure pretese d'impormi l'inizio delle *Memorie d'un bagnino* d'un cotal Fleba fenicio: "Mosè, Boudu, fu facile, ma per Narciso non ho fatto in tempo..."

Mi sorse il dubbio a questo punto che, se anche titoli, autori e testi del suo sterminato peculio gli s'erano ormai imbrogliati senza speranza nel cervello a mo' di pezzi di puzzle o di meccano impazzito, un'ambizione non cieca dirigesse le sue manovre, un esperanto aiutasse le lingue dei manovali della sua Babele. Quest'ultima bizzarria, per esempio, dove in acque amniotiche guazzavano insieme persone del mito, della poesia e del cinema, chissà che non nascesse dal proposito di concentrare secondo una procedura d'avarizia ch'è la stessa della creazione più alta, nel minor spazio possibile il maggior numero di messaggi, come a bridge, nella dichiarazione detta "fiori napoletano"...

Tuttavia, il giorno che mi canticchiò un estratto delle *Liaisons dangereuses* di Bixio e Cherubini, fui costretto a rompere il sodalizio.

Lo rividi mesi dopo, un mattino che pioveva a dirotto, come il giorno del primo incontro. Stavo al riparo dentro un portone di via del Corso, quando mi passò davanti. Non parve riconoscermi, parlava da solo, offrendosi impassibile ai ruscelli che scendevano dalle grondaie. Da una tasca del vecchio paltò sporgeva – avevo l'occhio clinico per riconoscerlo a vista – uno scartafaccio dei soliti, la sottile zattera di carta con cui s'apprestava una volta di più ad affrontare il diluvio.

"Robinson," lo chiamai, affacciandomi dal mio rifugio, ma lui non volle udirmi, continuò ad avanzare, senza ombrello, senza cappello, sordo ai clacson che gli gridavano contro. Lo vidi saltare in aria e restarci più a lungo di quanto potesse credersi, prima di ripiombare sul cofano della vettura.

"Qual è il titolo spagnolo?" mi chiesi, assurdamente, invece di correre al suo soccorso. Pensavo a quel fantoccio di Goya che sta al Prado e tre ragazze lo fanno ballare sopra un lenzuolo; ma non feci in tempo a ricordarmi ch'era *El pelele* quando lo vidi rialzarsi con un op-là di ginnasta, stropicciarsi i panni e riprendere a camminare fra l'obliqua furia dei carri, affondando pedate imperiose, e facendo volare a destra e a manca gli schizzi, nel fango delle pozzanghere.

LE VISIONI DI BASILIO
ovvero
LA BATTAGLIA DEI TARLI E DEGLI EROI

Sicché il Senato del Mondo – quello che si faceva pomposamente chiamare così – decise in un soprassalto di zelo di difendere dal morbo almeno le carte più nobili e di serbarle al sicuro dentro un unico fortilizio. Fu scelto monte Athos, luogo eccentrico, imprendibile dal lato del mare, e di pochi impervi accessi lungo il confine terrestre. Qui, dagli archivi e biblioteche di tutti i paesi, su un naviglio preventivamente impeciato e disinfettato a dovere, furono fatte giungere le opere che a giudizio dei savi meritassero di salvarsi e di vincere il tempo. Cataste di volumi, né si poteva pretendere di proteggerli tutti in uguale misura. Bensì, dispersi i molti nei monasteri minori, la centuria superstite, la più preziosa, venne raccolta in un torrione del San Gregorio, affidandone la custodia al patriarca Spiridione e alla sua conventicola, in attesa che da parte dei chimici si scoprisse un antidoto contro l'invulnerabile verme.

Era, questo, una varietà di *trogium pulsatorium*, apparsa in Occidente subito dopo la fine della seconda Ecatombe, e diffusasi dappertutto con tale prontezza da far pensare che una Natura misantropa, delusa nel suo proposito di spegnere l'uomo per mano dell'uomo stesso, si contentasse quanto meno di corromperne le memorie suscitandogli contro, dalle proprie officine, questo nemico novissimo: innocuo alla salute dei corpi ma micidiale ai monumenti della scrittura.

Correva la penultima decade del ventunesimo secolo; un'età di passioni sazie, dove l'eccesso di morte aveva prodotto una comunanza e una concordia insperate fra i pochi milioni di vivi. I quali, sopravvissuti per assuefazione all'invisibile tabe dell'atomo, non ne portavano perciò meno stanco e pallido il sangue; e si vedevano camminare come sonnambuli, stramazzando a ogni cantone e rialzandosi quindi a fatica; né avevano sempre sgombra la mente o lucido il discrimine fra falso e vero.

Non fa meraviglia, quindi, che il novizio Basilio, preposto da Spiridione alla guardia del tesoretto e recluso con esso, venisse scordato in clausura, privo d'istruzioni ulteriori, non meno ostaggio che carceriere della sua truppa di larve. Né gli occorse molto perché si ritrovasse in balia d'un ozio vizioso, quale suole durante gli assedi accompagnare le ore che precedono l'assalto, e cadesse in uno stato di visionario languore.

Già, con l'aiuto dei confratelli Macario e Niceforo, egli aveva riposto ciascun esemplare dentro una busta di plastica impermeabile; surrogato gli scaffali di rovere con altri di virtuoso metallo; dato opera che zolfi profilattici fumassero giorno e notte dinanzi alle soglie... E con ciò? Tornati i due compagni alle incombenze della vita comunitaria, e costretto lui a una solitudine di sentinella, ridotto a non veder altro, durante le ventiquattr'ore, se non la mano che attraverso uno sportellino gli porgeva la ciotola del desinare, il monaco era trascorso a patire come una scomunica la sua vacanza e a sentirsi ripungere sottopelle il vecchio assillo dei sensi.

Era, Basilio, di membra grandi, di carnagione olivastra, di barba fosca e fitta, sotto cui quasi spariva la voglia di vino che sin dalla nascita gli traversava la faccia e che talvolta, nei mezzogiorni di caldo, pareva sotto il roveto dei peli ardere come una stimmate. Gli toccava in quei momenti correre a tuffare il capo in un secchio, fin quasi a sentirsi la morte in gola; indi grondante e ispido buttarsi sul pavimento a pregare: risorsa superstite, nella spola sterminata dei giorni, dalla quale usciva stremato come da una dissolutezza amorosa; sebbene per soccombere subito all'altra, più abusiva, del trasognare...

Ma il mattino era l'ora innocente, ch'era l'ora dell'ispezione. Quando, estraendo con dita lievi dai ripiani le buste, una per una le osservava con la lente, per studiarne la salute. Lisciava con le dita gl'involucri trasparenti, li guardava controluce. I sigilli apparivano intatti, nessun varco s'era aperto alla camola. E tuttavia lo coglieva ogni volta una deserta lusinga, di fronte a tante proibite delizie, di delibarne qualcuna, gli antichi romanzi, soprattutto, alla luce d'una lampada cieca, violando i termini della consegna. Cedette finalmente un giorno, fiducioso nelle difese esterne e nella propria personale nettezza; convinto che l'infrazione non presentasse pericoli e che bastasse un suffumigio, dopo ogni lettura, per tener lontano il contagio. Da allora vivere non gli fu più così duro, divenne perfino dolce. Leggeva, fantasticava, pregava. Spesso le tre cose insieme. Così passarono l'autunno e l'inverno.

Marzo portò garriti di rondini fra gli spalti della torre e una fragorosa spuma d'Egeo a rompersi lietamente appiè delle rocce. Era la prima volta, dopo molti anni, che le stagioni parevano sottomettersi alla disciplina di un tempo. A Basilio quei guizzi neri nel cielo, quel ribollire bianco laggiù, come li mirava dalla finestra, notificavano un presagio, forse un annunzio, di risorgimento. Presto buone nuove giunsero dalla capitale del Mondo e lui le udì attraverso la grata, il flagello volgeva alla fine. Gli dispiacque, s'era affezionato alle chimere del suo leggio. Per cui a Spiridione che lo sollecitava a interrompere la quarantena, oppose pretesti di cautela, chiese una proroga che il benigno patriarca non ritenne di rifiutare. E il novizio rimase di nuovo e lungamente con sé.

Ebbero quindi inizio le sue visioni. Visioni, non sogni. Poiché egli dormiva sonni di pietra, senza ricordare al risveglio nessuna delle parvenze che pur dovevano avergli penosamente invaso il pensiero, se spesso dalle celluzze limitrofe lo si udiva, la notte, lagnarsi e rivoltarsi sul pagliericcio... Visioni, o piuttosto mischie d'ombre cinesi sul muro, al cui tremulo visibilio – sia che l'abuso del leggere fomentasse in lui una creativa nevrastenia; sia che si trattasse, dopo tanto silenzio, di un bisogno di recita e gioco – egli prestava una voce, una facoltà di ridere e gemere, un nome. I nomi erano gli stessi dei personaggi delle sue letture: esangue armata di zombi, tuttavia risoluta a resistere. E c'erano tutti. Chiunque, voglio dire, nelle pagine sfogliate febbrilmente e di frodo, avesse mai impugnato un'arma o indossato una squillante divisa. La loro gravità era di veterani solenni, appostati a fronteggiare l'orda delle tignole dal varco d'una Termopili. Questo era, difatti, il soggetto e il titolo ricorrente del miraggio: una tenzone a oltranza, da combattersi fra i cavalieri e gl'insetti, di cui lui fosse a un tempo lo spettatore e il mossiere. Gliene era sorta l'urgenza da quando, una notte, svegliatosi per un bisogno, ecco, nel silenzio e nel buio, *tic toc* aveva udito, un battito meno forte di un tamburo e più forte di un orologio, la cui sentenza alle sue orecchie risonava irrevocabile, quasi trasmessa dagli zoccoli d'un cavallo d'apocalisse.

Trogium pulsatorium... la solenne denominazione che aveva imparato sul suo manuale d'igiene libraria gli salì alle labbra. E, con essa, il secondo battesimo che dai tempi di Linneo distingueva il mostricino: Atropos. Vale a dire...

Basilio, bisogna riconoscerlo, era di mente estatica e torbida, ma possedeva un orecchio miracoloso, capace d'intendere nel batticuore dei suoni la minima fibrillazione e di gustare dietro il senso d'ogni parola il grumo di musica che vi si cela come in un cristallo la luce. Così, per fare il primo esempio che capita, parole come "passiflora" o "algebra", prima di riferirsi, nel comprendonio della gente comune, a un fiore oscuro o alla chiara scienza dei calcoli, istigavano in lui volta a volta il sentimento di un miserere o di un'alleluia, e gli bastava ridirsele adagio per assumere istintivamente, così nel passo come nel gesto, ora la cupezza di una resa, ora l'orgoglio inflessibile di una sfida della ragione.

Questo spiega perché le sillabe scritte di cui s'era nutrito in tutti quei mesi, grasse e magre, umide e secche, e con esse l'anagrafe stessa dei personaggi, e l'intreccio dei loro casi, più che disporsi nella sua mente in attendibili sequenze storiche, si mescolassero come i diesis e i bemolle di un pentagramma impazzito: un guazzabuglio sonoro, a cui per spiegarlo e dargli sanzione di verità, quell'Atropos veniva ora ad aggiungersi col suo stridore di sega. E quella funebre solfa, *tic toc*, che certamente d'ora innanzi non avrebbe taciuto più.

D'un cosiffatto crepito, Basilio ne fu subito persuaso, l'origine non era rombo d'arteria insorto a mortificargli l'udito; né vento della Calcide che facesse scricchiolare in cadenza le imposte. Ma erano i passi del diavolo Capotarlo in persona, lo stratego e signore dei tarli, che, fiutata da lontano la preda, lasciando in abbandono le terre restanti e con ciò illudendole di un finto armistizio, s'era indotto a varcare flutti e gioghi di monti per assalire nel cuore il santuario e la patria più vera dell'uomo.

Con l'alba il ticchettio cessò e il monaco si diede con la lente a perlustrare ogni angolo della stanza. Senza esito: i libri visibilmente stavano bene, nessun segno appariva di bava o escremento in nessun mobile o suppellettile; nessuna ferita s'apriva nella carta, nei tessuti, nei legni.

Allora Basilio si rincorò, si convinse che il diavolo Tarlo fosse solo una fisima della sua inedia claustrale. Senonché la notte seguente il *tic toc* ricominciò. Qualcuno era entrato nella fortezza, non era possibile dubitarne. E doveva essere una femmina, secondo che il suo manuale insegnava: solo le femmine pulsano a quel modo, battendo con forza l'addome sul piano d'appoggio, e con ciò inviando nell'aria una proposta d'amore. A chi, se non a un maschio presente e vicino? E con quali prospettive se non di una fatale fecondità?

Da quella volta il monaco non dormì che sonni brevi e convulsi. Udendovi dentro, o traudendo, la percussione di morte. Né dal vegliare ricavava minore sconforto, bensì si muoveva caninamente su e giù per la cella, raspando, origliando, annusando. Qui irrorando di petrolio le crepe, lì spargendo per scrupolo in ogni angolo inefficaci polveri velenose. Girandosi talvolta di colpo per cogliere alla sprovvista il nemico. Ma la riserva suprema fu di schierare in lizza i suoi prodi. Di cui delineava le sagome, una alla volta, con le due mani nell'aria; o che evocava dalle muffe e ombrature in figura d'angeli portaspada, perché accorressero a sterminare in un soffio solo l'esercito degli invasori. Don Chisciotte e D'Artagnan, Aiace e Rolando, il principe Bolkonskij e il principe d'Homburg, tutti insieme, paladini, moschettieri e templari, gli sfilavano davanti, cinema di valore e di oltranza, presidio di Dio sulla terra. Otello guidava la flotta, Sansone i fanti, il Cid la cavalleria; e ne seguivano giostre e fiamme, grida, squilli di tromba, languide morti, ridotti gli eroi da una bacchetta stregata a infinitesimi pupi, cresciuti i tarli a uguagliarne la statura, come in un doppio e inverso gioco di specchi.

Col tornar della notte, dallo schermo della parete la battaglia si trasferiva ai suoi occhi. Chiusi, ma non sì che non travedessero fra le ciglia una luna dalla finestra abbarbagliare la cella. E in un filo d'essa, come danzano in un raggio di sole le miriadi del pulviscolo, globuli di latteo turbine muoversi, astrali disincarnazioni d'oblio. Era come avanzare per nave dentro il cerchio d'una bonaccia notturna, quando l'acqua si marezza senza dividersi davanti alla prua: fluida morgana di fumo a gara con l'immenso tremolio delle stelle. Allora a Basilio veniva da piangere di dolcezza, si sentiva d'improvviso colmo di pace. Era tempo di guidare per mano i campioni sotto le bianche tende a dormire; tempo di assopirsi lui stesso per un minuto. Un minuto. Poi il *tic toc* ricominciava.

Un mattino, alla solita inquisizione, la Bibbia di Borso d'Este denunziò un irrevocabile segno: una galleria, che non si sarebbe notata se non aprendo il volume alla pagina giusta, correva dal dorso verso l'interno, su su per il margine bianco, fino a invadere sinuosamente lo scritto. In superficie, per ora, e con questa stranezza: che gl'insetti parevano aver mirato a erodere nella stampa soprattutto l'onomastica, quasi che in essa, e non più nei capelli o nella pianta dei piedi risiedesse l'energia d'un eroe. Cominciando dalla desinenza furbamente, dove il sangue cola più torpido e non s'accorge di nulla. Di modo che, sulla venerabile pergamena, erano pochi i sovrani e guerrieri che non apparissero smozzicati e scodati e di cui non restasse che un inizio di flebile identità, una S per Saul, una M, e non più, per Mosè...

Sbigottito, Basilio corse al controllo delle rimanenti custodie. Ahimè, l'attacco era stato simultaneo e feroce, le tracce ne erano ovunque, simili a briciole d'un pasto immane, a trucioli e schegge residue sotto il banco d'un falegname. Pagina dopo pagina Basilio recensì i volumi, contò le spaiate membra della sua legione sconfitta. Troncati dai corpi, i busti restavano a sfarinarsi, ciascuno là dove l'aveva colto il morso nel sonno. Né si poteva sperare che quanto prima, masticati e trangugiati essi stessi, non scomparissero affatto...

Il novizio arrossì, una porpora gl'inondò l'onesta calvizie, si sovrappose alla voglia purpurea che gli sfregiava la faccia. Che fare? Fra le pieghe dei volumi, lungo i solchi dei crateri, cercò con la lente più aguzza di cogliere gli aggressori. E li appurò. Irti di peli, di squame, li vide affaccendarsi come formiche, incolonnati a distruggere qualunque resto di persona incontrassero nei righi di stampa dove resisteva il sacro inchiostro dei secoli. Taluno era caduto trafitto sull'orlo della trincea conquistata, dopotutto le vittime avevano venduta cara la pelle, ma gli altri – quanti! – brulicavano per ogni dove, sgranocchiando, quando la carta mancava, cannibalescamente se stessi. Fra la ressa uno spiccava, più grosso, più gonfio, cilindrico, d'un forte color arancio. Doveva essere il capoccia, re Capotarlo in persona, alle prese col bersaglio più alto, nella prima pagina della *Genesi*, dove Lui crea il cielo e la terra. Basilio confusamente pensò che la terra e il cielo esistevano perché quel nome in quella scrittura esisteva, che cancellarlo sarebbe valso come cancellare ogni cosa. Osservò Capotarlo sotto la lente: giaceva in momentaneo riposo su un dosso di macerie, di consonanti e vocali, e incrociava sull'addome le ali. Ali? In realtà setole minime, veline deperibili che non bastavano a nascondere uno solo dei nèi brunicci del corpo, e sulle quali, pure in quello stato di quiete, ininterrottamente cricchiavano le interminabili antenne. Basilio provò a schiacciarlo sotto la mole d'uno spillo di ferro, ma lo vide sgusciare, perdersi chissà dove, a dirotto, lungo il crinale della costola d'un in-folio. Che fare? La guerra era persa. A meno che...

Basilio si sovvenne di una certa nozione che aveva udito da fra' Macario, al tempo che apprestavano insieme le prime difese. Riguardo a questi tarli di nuovo conio, a questi vampiri d'inchiostro, fra' Macario soleva ripetere che un solo cibo era buono a distrarli da papiri e incunaboli, verso il quale nutrivano particolarissima gola: il miele. Di cui Basilio possedeva, come viveri di soccorso, una fila di bocce piene. Il novizio si spogliò nudo, conservando sopra la pelle il crocifisso soltanto, cavò dall'altana i vasi, se ne spalmò sulle membra l'intero portato. Poi si stese immobile sull'impiantito. Presto il *tic toc* familiare gli parve s'avvicinasse, migliaia di zampette vellicanti gli zampettassero addosso. Attese così delle ore, finché fu certo d'avere attratto su sé l'intero popolo dei nemici. Poi con un balzo si spiccò da terra, spalancò la finestra e, scavalcato il davanzale, con la croce nel pugno e gridando precipitò nell'Egeo.

IL PEDINATORE

Fino a poco tempo fa mi pareva il mestiere più bello del mondo. Igienico, eccitante, maschile. Uno svago per l'intelligenza, un toccasana per la salute. Niente più paturnie, meteorismi, acidi urici, ma un'allegrezza sotto la pelle, come dopo una doccia o una defecazione felice. Scarpinavo da mane a sera, poi m'intombavo nel sonno con la fiducia d'un pargolo, riaprivo dopo otto ore alla luce occhi nuovamente curiosi, una mente fertile e sgombra.

Che dire ancora? Coniugavo i piaceri del turismo con quelli dello spionaggio, ero insieme un confessore di coscienze e un regista di destini, un globe-trotter e un dio. Strapagato, per giunta: stipendio fisso presso il "Binocolo lungo", per cui lavoravo; in più le mance, a caso concluso, ch'erano spesso assai generose, elargite dal sollievo o dalla disperazione, cioè da sentimenti eccessivi, volentieri inclini allo spreco.

Il titolare m'aveva in grazia. Era il famoso Marullo, già capo cronista di nera alla *Voce dell'Urbe*, dove m'aveva conosciuto una mattina, mentre sull'ingresso chiedevo un posto di praticante a un gruppo di redattori in transito verso il bar. "Vi porterò," millantavo, "il dito mancante della donna tagliata a pezzi, l'intervista al tagliagole dell'Acquacetosa, il flash a sorpresa di Sua Eminenza sulle ginocchia di Spartaco er Ciccia. Vi porterò, vi porterò..."

Quelli mi davano la baia, imbottiti di spocchia, convinti di correggere il mondo, con le stilografiche in resta come bacchette di Toscanini. Lui no, lui mi prese sul serio, mi mandò subito in trincea, quando ero appena arrivato dalla provincia, affumacchiato dal viaggio e con gli occhi miopi per la notte senza sonno. Acerbo nelle mie membra e parole, ma fanfarone quanto bastava a sedurlo. Anni dopo, andato in pensione, mi volle con sé nell'agenzia che aveva fondato per mantenere l'amante giovane e io divenni la lente destra e sinistra del suo "Binocolo lungo".

Del poliziotto privato io posseggo, se non tutte le bravure professionali, la suprema, ch'è la discrezione, l'arte di cancellarsi, di scomparire. Ciò non toglie che per ragioni pubblicitarie mi sia fatto stampare un esuberante biglietto da visita, con la qualifica chiara e tonda, *Benito Ciuffo, pedinatore*, e in calce, a mo' d'epigrafe, un verso dell'Angiolieri imparato al liceo: "E tutto dì vorrei seguire un pazzo"...

"Son queste bizzarrie," approvò Marullo, "che impressionano il cliente, gli si può chiedere tariffa doppia." In effetti, da allora non c'è marito che, rigirandosi fra le dita il mio cartoncino *extra strong*, non mi gratifichi d'uno sguardo, metà incredulo metà esultante, come se gli venisse offerta in comode rate mensili un'onniveggenza...

Ho cominciato pedinando adùlteri, infatti, è il tirocinio più agevole e meno rischioso. Si ha a che fare con antagonisti di totale innocenza, che incalza una febbre tenera e cieca, e che, se si guardano alle spalle, lo fanno solo una volta, in extremis, già sulle soglie della garsonniera. Non badando ad altro, in quel mentre, che a scrutinare fra le facce dei passanti ogni faccia pericolosa. La vostra, che ignorano, gli scivola in fretta dagli occhi, prima ancora esclusa che elusa. Siccome non vi conoscono, sono certi, impulsivamente, di esservi sconosciuti, e vi lasciano anonimi e indenni dentro la vostra nebbia di testimoni invisibili. Poiché questo è essenziale, per il pedinatore: di poter esibire vesti, fattezze, mimiche anonime e tautologiche, che ripetano in copia le altre di altri e con esse si scambino in miscellanea confusa. La vostra statura sia dunque quella comune, la corporatura altrettanto, una dieta vi aiuterà. Vi siano alleati i giornali, da spiegare davanti al viso (ma diffidate dei tabloids, non più grandi di un fazzoletto). La pagina che fingete di leggere, alla fermata del filobus, sia quella, rassicurante, degli avvenimenti sportivi, con una finestrella esigua nel mezzo.

Fino a ieri mi pareva dunque il mestiere più bello del mondo. Vita attiva, all'aperto, quel che i medici non si stancano di consigliarmi coi trigliceridi che mi ritrovo. Senza dire che all'aperto si vede di più, si sfruttano meglio le viste del mondo. Il quale, a pensarci bene, che altro è se non una sfilata interminabile di colori, strepiti e moti, iniziata col grande bang e di cui a noi tocca appena, fra nascita e requiem, un infinitesimo spicchio, un infinitesimo istante? Uno solo, e poi via, non facciamo in tempo dal nostro temporaneo loggione ad accennare un fischio o un applauso che già, come dicono al mio paese, siamo teste senza naso e c'ingoia un buio infinito. Talvolta, all'alba, uscendo di casa e vedendo la brina sciogliersi al sole nelle aiole del giardinetto condominiale, o lo smeraldo dell'erba splendere dopo la pioggia notturna, mi torna alle labbra quel motto che ripete spesso Marullo: *Nocte pluit tota, redeunt spectacula mane*... e penso lì per lì che sto uscendo per andare a un teatro, ma che a me, come a tutti, il cartellone riserba un'unica matinée, le repliche non mi riguardano. Se non fosse che io, Benito, ho sugli altri il vantaggio del mestiere che esercito: d'inquisire più da presso, finché il sipario rimanga levato questo popurrì d'ombre che s'ingarbuglia sul muro della caverna. Investigare non significa forse cercare di vedere, di sapere di più? Che se poi mi danno anche soldi per questo...

Ebbene, dopo una tale onorata carriera, col Marullo piuttosto socio e padre che datore di lavoro, dopo essermi tanto innamorato del mio lavoro da praticarlo anche la domenica per diporto, andando dietro a persone qualunque, scelte a caso fra la folla, e cercando di appurarne opere e giorni al solo fine d'intessere con il loro mistero i fili obliqui della mia immaginativa... ebbene, dopo una tale carriera, da qualche tempo un dubbio mi turba, se mai la realtà di scadenze, cause ed effetti, su cui finora mi sono fiduciosamente accampato, non mi stia diventando porosa, friabile, ondosa; se, insomma, questa mia presunzione d'essere vivo non avverta i morsi d'un intimo verme. Devo dirlo? Non v'è aspetto o evento di fronte a cui, imparandolo, non mi echeggino dietro la fronte, giocando a mischiarsi, due parolette: falso e vero; vero e falso... Miraggio dubbioso di suoni, pregiudizievole d'ogni inchiesta, e al quale invano io domando d'inalvearsi fra argini, anzicché volitare fra fantasie, fra fantasime!

Mi viene allora in mente il gioco che abbiamo inventato io e il principale per i pomeriggi di stanca, quando il telefono langue. Un gioco di gradevole fatuità...

Comincia lui con un titolo o locuzione, la prima che càpita. Sia, per esempio, e per non uscire dall'ambito sindacale, "agente segreto". Al che io rispondo con un altro binomio che sviluppi la radice verbale d'un elemento e ne proponga uno nuovo: "atto notorio", poniamo. Lui, cogliendo l'apporto recente, lo spreme: "ultime notizie". Sicché io: "ultimatum di mezzanotte"... Allora lui si mette a cantare: "A mezzanotte va / la ronda del piacere", mentre io ribatto col *Piacere dell'onestà*, finché uno dei due s'arrende, incapace d'allungare il serpente più oltre.

Non diverso è il sentimento che nutro nei riguardi dell'esistenza, specie durante le attese, a un tavolo di caffè, di un tizio o tizia che tardi a uscire dal portoncino di fronte. Ed è un sentimento come di una macchina di soffi labili, specchi deformi, apocrife parentele; un inammissibile intreccio che si sfascia da tutte le parti, senza che nessuna cintura di ferro intervenga mai a stringerne le smagliature. Dovrà essere dunque la morte a spiegare la vita? Quando a lumi spenti, a sonagli immoti, del luna park resteranno solo lamentosi giornali nel fango e il solco delle ruote dei carri; e di tanti calendari, identikit, frecce di viabilità, di tanti come e perché, sarà erede solo il silenzio. O se la morte fosse finalmente uno sfero, un dado, un cubo, una luce? Amara cosa, quaggiù, non potere decidere fra senso e nonsenso, fra il puzzle gigantesco con miliardi di tessere che però, incastrate ciascuna al suo posto, disegnerebbero una funzione bellissima, se non l'effige e il nome d'un Dio; e l'infungibile macchina-mostro, la sgrammatica che cresce su sé, la bussola che impazzisce a tutti i venti della rosa dei venti... non sapere decidere ma andare così, almanaccando, itinerando a vuoto, dietro signore e signori ignari, falsi scopi d'una trama che m'illudo di svolgere e che mi svolge.

Dopo questo, c'è bisogno di aggiungere che il mio vizio del pedinare associa, come tutti i vizi, un rimorso a una voluttà? Il fatto d'insinuarmi in una storia che non è mia, mentre sulle prime mi dava estasi d'autorità, ora mi detta oscure paure. Come in questi giorni di mezzo inverno, sulle tracce della mia selvaggina attuale. È un uomo smilzo, d'abiti un poco abbondanti, ma portati con garbo antico. Pochi capelli bianchi che sfuggono da un Borsalino di falda corta, un passo esitante di marinaio sbarcato da poco. Un caso di tutto riposo, parrebbe, non ha un sospetto ch'è uno. Lo aggancio ogni mattina, mentre compra il giornale alla sua solita edicola, lo scorto in giro, alla Villa, al Corso, per curiosi andirivieni e vagabondaggi, pause inspiegabili, accelerazioni sospette, nei quartieri fra la Piazza e il Fiume. Ma intanto che lo accompagno, di tratto in tratto fotografandolo con la mia minuscola sparaluce, una stranezza m'intriga, di vederlo di colpo bloccarsi a un cantone, sporgendo di là la punta del naso, a spiare non so che cosa davanti a sé; indi procedere oltre, con speditezza o cauto, secondo il caso, ma sempre con un'aria di permalosa attenzione. Il peggio è che non si cura di me che lo tallono, ma di altri, persone o cose, che lui vede e che io non posso vedere. Fino a quando, che è già sera, imbocchiamo un rettifilo deserto, in periferia, e io mi tengo rasente al muro, m'appiattisco alle vetrine, ma mi resta vista a distinguere, quattro isolati più in là, la sagoma d'un grasso in nero che marcia davanti a noi e, se attraversa la strada, da un marciapiedi all'altro, si gira un poco di sbieco, come temesse l'arrivo repentino d'una vettura. O come se...

Dove stiamo andando, mi chiedo, noi tre, come tre ingenui Curiazi, a morire? Succube d'entrambi, li premo in caccia con suole di feltro, ma ho perso ogni ambizione d'essere il capocaccia. La luna mi favorisce, nascondendosi dietro una nuvola. Quando rispunta mi son già messo al sicuro in un cono di tenebra. Al sicuro, per modo di dire. Ecco, il grasso, laggiù, s'è impietrito sotto un semaforo. Altrettanto lo smilzo davanti a me. Altrettanto io, senza rumore. Ma dietro di me un battito ho colto, di stivale contro il selciato, come d'uno che si sia fermato con un attimo di ritardo o che difetti nel passo. Torno a muovermi quando gli altri si muovono, ad arrestarmi quando s'arrestano. Ma ogni volta il disguido si ripete, di quel passo zoppo dietro di me. Oramai non ho più dubbi: io sto seguendo qualcuno che sta seguendo qualcuno. Ma qualcuno mi sta seguendo. E non si nasconde nemmeno. E non so chi è.

IL LADRO DI RICORDI

*dal parroco di S*** al vescovo di T****

Venerato Signore, nell'incipiente inverno del corrente anno 1818, in questo borgo romito su per le prime balze dell'Alpe, dove curo il mio ministero, son stato reso partecipe d'un troppo insolito caso, per non dir portentoso, essendo che la sua stravaganza pareva trascorrere oltre ogni umano sentire e potersi dilucidare soltanto allegando gli arcani d'una volontà sovrumana. Celeste o diabolica? Non sarò io, pretuzzo montanaro, di pochi studi e di semplice mente, a doverne dare risposta, bensì mi contento di produrre quanto del garbuglio mi è noto, acciocché se ne sciolgano nelle debite sedi le fila.

Produrre, dico, e già qui uno spavento mi morde, se non sia sacrilego farmi banditore d'una confessione udita sotto sigillo sibbene dalle labbra d'un tristo e con palese intento di male, quindi, presumo, affatto ìrrita e nulla. Valga il vero che avrei atteso, per scrupolo delle leggi canoniche, di aprirmene in confessione a mia volta, o di domandarne comunque dispensa, non appena disceso alla città per le consuete provviste. Senonché, impedito a letto da un curioso languore che mi fa disperar della vita, né arrischiandomi, per le larghe alluvioni odierne, di correre così malconcio le strade, mi son risoluto di non tenere per me, con pregiudizio dei buoni, questo segreto, ma di fidarlo in suggellata carta a un mio familiare, nella speranza ch'ei possa, vincendo gli accidenti della stagione, umiliarlo nelle mani preziose di Vostra Eminenza, alla cui benevolenza la mia anima raccomando.

Sia d'essa quel che il Cielo vorrà. Per intanto, ecco, nero su bianco, il successo.

Ero in chiesa secondo il mio solito, un pomeriggio di questi, in attesa delle immancabili penitenti della compieta, che son tre sorelle zittelle, le più innocenti creature del mondo, però tanto permalose della propria coscienza da volerla purgare ogni giorno delle macule più immaginarie. M'avviavo quindi lestamente verso il confessionale, dove mi piace insediarmi per tempo, un po' per l'antica abitudine di evitare col fedele, nell'imminenza del sacramento, discorsi di dimessa familiarità, che allenterebbero la sua e la mia passione, un po' perché in quel buio ricetto, dove un sol rigo verticale di luce trapela fra le cortine calate, mi sento singolarmente docile al mio sentimento di Dio, né è raro che, se le parrocchiane ritardano, io m'abbandoni non senza lacrime alla preghiera...

Avevo dunque spinto appena con la destra la bussoletta d'ingresso che mi sentii ghermire la manca da un pugno febbricitante: di un anziano d'occhi selvaggi, alto, biondiccio, vestito d'una ricca finanziera turchina, che mi sbucò improvviso sul fianco, né per la penombra in cui la navata giaceva m'era occorso prima alle viste.

Uno straniero, senza dubbio, e non solo straniero di queste alture, dove nel giro di molte leghe tutti ci conosciamo al sembiante, ma dell'intero paese italico, come fu facile accorgersi così dalle singolarità della complessione e dell'abito, come dal dire boreale e sforzato.

Non feci in tempo a chiedermi per quali varchi e per quale ragione costui fosse giunto fra noi, quando: "Orsù, padre," mi disse, "ascoltami sotto vincolo di segreto." Così dicendo mi spinse quasi nella mia nicchia di legno e sedé sull'inginocchiatoio, chinando il capo di tanto che la bocca gli riuscisse comoda all'altezza della grata e del mio orecchio nascosto.

Io stavo peritoso alquanto, non per timidezza d'animo, ma perché nel gesto e nel parlare dell'uomo avevo subito inteso un dolore non cristiano, fumido d'orgoglio e renitente a contrirsi. Sicché per prima cosa gl'imposi di recitare un *Confiteor*, senza ottenere che un convulso di riso e il dirotto profluvio delle parole seguenti:

"Padre, ascoltami prima e infliggimi poi le tue penitenze. Sappi che non ho nome da dirti, né patria, né età. Non è che non voglia: non posso. Io non so nulla di me, salvo che giungo dalla Bavaria e parlo quella lingua a puntino; e, meno bene, la vostra. Secondo quel che sento delle mie forze in declino, e giudico dal mio volto allo specchio, dovrei contare meno di sei e più di cinque dozzine d'anni. Pure è come se avessi tre anni. Dappoiché tanti son gli anni ch'io vivo conscio di me e memore della mia vita; e da altrettanti vo ramingando per tutte le contrade d'Europa alla cerca del mio essere perso e della mia persa memoria. Da tre anni, dico, essendo tre anni che mi ritrovai un mattino ai piedi d'una scarpata dov'ero per non so che caso precipitato. Crepata la cavalcatura ai miei piedi, immune io nel corpo, non fosse un grumo nericcio di sangue alla tempia, dove avevo battuto contro una punta di roccia. Accanto a me, sciolte dal basto nell'urto, due grandi bisacce giacevano, che non senza stupore e inerte giubilo vidi ricolme di talleri d'oro. Nessun foglio su me, o segno che mi chiarisse chi fossi; bianca la mente e vacante di tutto, senza un minuzzolo di passato. Chi ero? Che facevo per quegli impervi discrimini? Ero un masnadiero, un mercante, un postiglione, un monarca? Dove andavo? Donde venivo? Non fui sollecito in sul principio di farne inchiesta ma, intontito com'ero, risalii su per l'erta, strascinandomi dietro con una fune i bagagli, fiducioso che, col tornar delle forze e dissipata ogni bruma, di nuovo avrei, da nudo ch'ero, indossato i panni del mio battesimo e della mia condizione. M'aiutò nel tragitto un ragazzo che di lì a poco transitò per la via sur un carro di fieno e che compensai con qualche quattrino. Senza fargli di me nessun motto, se non che, disarcionato da una bizza dell'animale, cercavo ora nel villaggio più vicino un medico e una locanda. Trovai entrambi di leggieri, ma senza profitto, quanto all'aver migliore cognizione di me. Mi disse il medico, della ferita, ch'era di poco momento, ma che la memoria avrebbe faticato qualche tempo a tornare. Cercassi intanto conoscenti anteriori dai quali apprendere l'essere mio o, almeno, un ragguaglio qualunque, un rimescolio di coscienza, come chi in una brace morente rattizza con lo spiedo la vampa e la fa da capo e calda splendere nel focolare. Da allora non smisi di andare per tutte le terre, mostrandomi ovunque, nei palchi, nei fori, nelle fiere, nelle feste dei santi, sperando sempre che un dito puntato sorgesse dalla folla e una bocca gridasse un nome, una mano stringesse la mia. Poiché non mi mancava il danaro, ostentavo servi, equipaggi, non volevo passare davanti a nessun occhio senza lasciarvi una spina. Cipriano, mi feci chiamare e quasi gridavo questo pseudo in ogni assemblea, aspettando un rinfaccio, una smentita che non veniva. Dovetti presto convincermi che la mia esistenza di prima era scorsa come l'avessi scritta sull'acqua, nessuno pareva averne avuto nozione. Andavo dunque, simulacro d'uomo fra gli uomini, unico Senzanome in un mondo di battezzati, Trovatello senza passato. Né mi voltavo quando qualcuno: "Cipriano!" da lontano chiamava. Lessi nell'idioma germanico un libro con la storia dell'uomo senz'ombra e ne risi. Quanto più aspro il destino mio d'essere già quasi vecchio e non avere che notte dietro di me. Poiché io di ben altro che di un'ombra ero stato rubato, ma dell'intera e lunga mia vita. Avevo vissuto, non potevano esserci dubbi, ma era come quei tanti anni li avessi dormiti e senza un sol lume di sogno. Che conta vivere se il tempo andato in noi non resiste e s'incarna? E invece alle mie spalle gli anni erano pietre nere, una fossa di pietre cimmerie donde non una sola larva sorgeva: di quando avessi visto il mare la prima volta o baciato labbra di donna o danzato o passeggiato in un parco sotto la luna. Nessun ricordo m'era rimasto, di madre, di amici, di un duello, di una pena, di una gloria. Nessun ricordo, quindi nessuna vita. Cadendo da quella scarpata, ero stato assassinato. Che ero dunque ora, coi miei nuovi e fanciulleschi ricordi di soli tre anni? Che ero e chi ero? Non c'era più in me che qualche frantume di volontà, una tensione fatua, un rigoglio momentaneo del sangue. Qualunque cosa che m'accadesse non andava a sommarsi, mattone ulteriore, sull'edificio già estrutto della mia vita, ma si levava su fondazioni di fumo. Ero come una scheggia di capitello che sopravvive a un tempio disperso, la nota che rimane d'uno spartito mangiato dai topi..."

Lo interruppi timidamente: "Figlio, Gesù riconoscerà i suoi nell'ultimo giorno..."

Sentii dietro la grata un ringhio, riso o singhiozzo che fosse. Poi riprese con voce piana:

"Padre, la mia storia non è finita. Né sarei qui a contartela, se non mi abbisognasse il tuo aiuto. Una cosa nuova e tremenda m'è intervenuta, or sono sei mesi. Ero andato a Dresda, tiratovi dalla fama d'un maestro pittore che ama dipingere i sogni. Da lui volevo un ritratto, sentendomi io stesso il sogno d'un uomo. Lui mi guardò con pupille pungenti, né volle ritrarmi, anzi mi disse d'averlo già fatto, anni prima, senza nemmeno conoscermi. Indi mi esibì una tela, d'un viandante su un'altissima cima, che contempla ai suoi piedi un mare di nubi e di nebbie. Ora il peculiare del quadro era che la persona voltava a chi guarda le spalle, un veridico Senzaviso, un Senzanome identico a me... Turbato lo lasciai per recarmi a teatro e distrarmi della mia invalidità. Or ecco al ritorno, ch'era già mezzanotte passata e la carrozza avanzava con ruote tranquille nel silenzio della città, m'avvenne, dopo aver ripassato invidiosamente nell'animo le scene dell'opera vista, di figgere occhi insistenti sulla nuca del cocchiere e di sentire in quel tanto minute luci accendersi sotto le palpebre e crescermi in figura di grande fiore, rassodarsi quindi in un raggio. Chiusi gli occhi e un ventaglio di pizzichi strani parve aprirmisi dietro la fronte, mentre un odore di rose si spandeva intorno nell'aria. Finché d'improvviso un RICORDO mi sorse. D'un ragazzo in un orto che intreccia laccioli a una biscia; e altri, altri: d'un garzone in serpa, d'uno staffiere fra mule e stallatico; e altri: di fondachi e mule per abrupti sentieri; e uno supremo, odiernissimo: di un uomo seduto in cassetta che sente due occhi di sotto il mantice della vettura trafiggergli dolorosamente l'occipite. Non mi ci volle molto a capire, e all'estasi del primo momento un raccapriccio seguì: non avevo riguadagnato il mio, ma l'altrui passato avevo usurpato, mediante chissà che forza mesmerica, col magnete della mia mente. Quei ricordi non erano miei ma dell'altro, quei ricordi erano un furto. Gridammo a un tempo di dolore io e lui, ma s'impennò in quella il cavallo, né il meschino più lo reggeva, ma smorto e riverso giaceva appiè del suo seggio. Mi premurai di surrogarlo alla guida e di riportarlo semivivo fra i suoi. Che più? Da allora m'è bastato fissare con fanatica forza i passanti per espropriarli d'ogni loro preterito e trasferirlo nel capo mio. Con una funesta letizia, ma senza che mi venga cuore di celebrare trionfi. So bene d'essermi fabbricate radici posticce, una mantecata ubertà. Né reggo più la rissa dentro di me di così discordi ricordi. Volentieri mi asterrei dal lasciare per dove passo tante esanimi e languide vittime, ma non trovo esorcismo che mi guarisca, se tu non m'aiuti. Questo è un male che strugge prima degli altri me stesso, che non domino più: non meno che le mignatte il sangue, io vado succhiando a ciascuno con il mio sguardo i ricordi. Sicché cerco nevi e deserti. E cammino con gli occhi bassi."

Questa, Eminenza, la storia dell'uomo. Al quale opposi non essere io capacitato a usar altro che l'esorcismo ordinario, mentre al suo caso pareva addirsi soltanto il solenne. E ancora con blande parole cercavo addolcirlo e condurlo a riappaciarsi con sé, quando a una mia domanda non udii sopravvenire risposta, bensì di lì a poco la voce udii d'una delle mie tre zittelle che litaniava dietro la grata secondo l'usato metro. Intesi allora quell'uomo essersi involato senza aspettare soccorso. Involato per dove? Poiché io tremo, venerato signore, ch'egli ancora s'aggiri, armato di tanto periglioso potere, fra gli agnelli e le agnelle della mia greggia. E tanto più tremo, signore, poiché da quel giorno io non istò più bene, ma lunghissime ombre sento invadermi il capo. E di tante mie ricordanze, fino a ieri in me luminose, mi sento amputato ed esangue. Per cui ripeto il mio nome per ansia di venirne frodato. Che non mi abbia, quel tristo, instillato il suo umore? Che stia io stesso per smemorare? E che sarebbe dell'anima mia? Come potrei, spogliato d'ogni mia buona e mala memoria, e dunque spogliato affatto di me, consegnarmi al giudizio di Dio? E già mi pare nella camera di odorare un odore di rose...

PASSEGGIATA CON LO SCONOSCIUTO

Fra il 4 e il 15 luglio del 1865, incalzato da una scadenza, Baudelaire tornò da Bruxelles a Parigi in cerca di soldi. Non ne trovò, ma durante il breve rimpatrio gli occorse un bizzarro incontro, come qui di seguito si racconta.

Le due mani si avventarono insieme sopra lo stesso volume. Una era piccola, bianca, curata, con unghie, però, mollicce e livide, rigate da solchi sottili; l'altra, quadrata, bruna, impiegatizia, spuntava pelosamente dalla manica d'una redingotte. Sul momento nessuno fiatò, i due si squadravano, misurandosi addosso a vicenda le forze e gli anni: quarantacinque, all'incirca, portati male, contro sessantacinque portati bene. Infine: "Bisogna vedere a chi serve di più," dissero a una voce, senza lasciare la presa. "Bisogna vedere chi è disposto a pagarlo di più," s'intromise quietamente il libraio, staccando le spalle dal parapetto del Lungosenna.

Rimase in minoranza, i due convennero subito che un libro come le *Memorie* di Vidocq non valeva gl'impegni di un'asta e che, per disputarselo, sarebbe bastato, e ce n'era d'avanzo, un duello di parole. "Compriamolo intanto in comune," propose l'anziano." Ci accorderemo più avanti, camminando. Se no, alla fine, tireremo a sorte."

Andavano sotto il sole di luglio, l'oggetto della contesa giaceva provvisoriamente in deposito dentro una tasca della redingotte.

"Il mio lavoro," cominciò l'anziano, "è di scovare ladri, smascherare assassini. Queste esperienze d'un collega illustre potrebbero apprendere alla mia ragione qualche inedita scorciatoia. Per quanto – e qui sorrise – Vidocq si fidasse più assai dell'inganno che della ragione..."

Era un uomo di complessione soda, di ancor verde anzianità, vestito come d'inverno, nonostante il caldo del mese e dell'ora. Ma la sua fronte appariva tanto più asciutta quanto più sgocciolava di sudore quella, pallidissima, del suo interlocutore, che pure indossava panni leggeri.

"Io," ribatté costui, 'fra una settimana devo parlare in pubblico di Balzac. E mi abbisogna uno spunto, a proposito di Vautrin." Si fermò: "Sono un poeta," disse, drizzando la testa. "Ma per vivere devo vendere articoli, conferenze. Seppure vivo..."

Aveva una testa rasa e superba, la testa d'un galeotto. e la sua voce tagliava l'aria come un filo d'acciaio. Il vecchio funzionario annuì: "Un poeta, come no. L'avevo capito sin dal primo momento." Indicò la rivista sotto il braccio dell'altro: "Vi osservavo poc'anzi, davanti alla bancarella, frugare fra i libri con un'unica mano, stringendo con l'altra codesto foglio e sbirciandolo ogni cinque minuti. Così fanno, infallibilmente, i poeti la mattina che si vedono stampare una poesia." Gli sfilò delicatamente la *Petite Revue* di sotto il braccio. "Ecco," disse e compitò a bassa voce:

"Lo zampillo che spande
mille tremule foglie,
e di Febea le blande
liete luci raccoglie,
come una pioggia grande
di lacrime si scioglie..."

Aggrottò le ciglia: "Troppo umido per i miei reumi," si lamentò, accompagnando lo sguardo con un ammicco e lampo degli occhi, come se stesse cercando un compare con cui mettere nel sacco un estraneo inesistente.

"In verità," ammise, "ho poco orecchio per i versi. Il mio mestiere è indurre e dedurre."

“Mi chiamo Baudelaire,” fece Baudelaire, “e non ho nulla contro gli assassini. Mentre ho parecchio contro la ragione. Non mi perdonerei di lasciarvelo in uso, un libro siffatto. Potrebbe costare il collo a qualche impulsivo ubbriacone.”

Erano giunti al ponte della Tournelle e camminavano verso la Cité. Il fiume, a guardarlo, appariva coperto di natanti d'ogni grandezza, canotti, zattere di legname, barconi carichi di carbone. Dai quali l'acqua risultava così turbata e torbida da immalinconire laggiù quel solitario pescatore alla lenza, sebbene tutt'intorno festosamente pendessero da mille pennoni le orifiamme tricolori dell'imminente 14.

“Curiosa parzialità,” riprese il poliziotto. “V'irrita più la vindice ghigliottina che non v'indigni il coltellaccio d'uno squartatore. Pure dovreste aver letto De Maistre...”

“L'ho letto e lo amo,” rispose l'altro. “Ma il mio boia non s'incappuccia contro i disperati. I suoi nemici sono i borghesi panciuti, i generali dalle lunghe sciabole...” Sogghignò e aggiunse fra i denti: “I padroni di casa, gli editori, i fornitori insolenti...” Guardò il compagno di passeggiata: “Gli sbirri filosofi,” concluse.

“Siete ingiusto,” mormorò il vecchio. “Noi stiamo svegli perché voi dormiate. *Vigilat ut quiescant*, è il nostro motto, che il Gran Luigi ci regalò.”

“E magari,” replicò il poeta, “riusciste a far dormire i miei creditori!”

Risero, del libro s'erano quasi dimenticati. Nel caffè dove entrarono il poeta accettò un bicchierino, mentre ascoltavano il baccano dei clienti, chi va chi viene, una voce dice dietro un giornale: “Pare che re Cristiano abbia chiesto l'armistizio. Che volpe, quel Bismarck...”; un'altra lancia in aria nomi di donne ignote, Lucienne, Margot; un'altra: “È innocente, vi dico. Non è stato La Pommarais!”

Operai entravano, uscivano, coi camiciotti macchiati di sudore alle ascelle, fumando corte pipe di coccio. Sul marmo del tavolino, in un colaticcio d'assenzio, una mosca si dibatteva, nessuno dei due la salvò.

Erano entrati nella Cité. "A pari e dispari, allora?" chiese l'anziano, mentre passavano davanti alla Morgue, in capo al ponte di Saint-Michel. Vinse tre volte di fila, il libro fu suo.

Il poeta si indispettì. Volle riprovare ancora una volta, per semplice esperimento. Perse ancora, rinunziò. "Mi ricordate," disse soprappensiero, "un tale che in questo gioco non sbagliava mai. E pretendeva di possedere il segreto per vincere sempre. È l'eroe d'un racconto che ho tradotto tempo fa. Di un americano." Alzò gli occhi verso la fronte dell'edificio. "Entriamo," decise improvvisamente, come se si fosse sentito chiamare per nome, e il vecchio gli venne dietro.

Attraverso una porta carraia sboccarono nel vestibolo luminoso. Qui, volgendo a manca, una spaziosa vetrata, protetta da una ringhiera ad altezza di gomito, li separava dal salone d'esposizione. Si scorgevano tre file di lastre nere, leggermente inclinate verso i piedi, e su ciascuna un cadavere supino, col capo, però, sorretto e offerto alla vista da un ingranaggio di rame. Accanto ai corpi un attaccapanni esibiva scialli, giubbe, cravatte, camicie e qualunque altro apprezzabile contrassegno d'identità.

"Alsaziana," fece il vecchio, mostrando oltre i vetri col dito un fagotto di carne gonfia e violacea, che pareva ripescato da poco. "Serva in una pensione di studenti del Quartiere Latino. Incinta di tre mesi. Liselotte di nome. Due suicidii falliti, prima di questo..."

Passò oltre, studiava a lungo le salme e gli oggetti, prima di parlare.

"Caporale. Disertore. Ha combattuto in Messico con Bazaine. Accoltellato in una rissa a Passy e finito a colpi di pietra. Ha un fratello orologiaio, sposato con un'ebrea..." Annusò l'aria, parve cercare col naso una sillaba nascosta nella memoria. "A La Rochelle," aggiunse, con un briciolo d'esitazione.

"Maledetto voi!" gridò Baudelaire. "Non vi caverete il gusto di sbalordirmi. Non mi vedrete in ginocchio chiedere come e perché. Sarò io, piuttosto, a sbalordire voi.

Siete celibe, di buonissima ma decaduta famiglia, avete abitato a lungo in gioventù al terzo piano di Rue Dunot, nel Faubourg Saint-Germain. E avete soccorso la polizia parigina in più casi, or sono vent'anni, a partire dal duplice omicidio in questa medesima via fino al furto d'una lettera regale. Dilettante non siete più, vedo, siete entrato nella carriera. E certo non scrivete più versi. Insomma, signore, se non siete il diavolo, il vostro nome è Augusto Dupin."

"Dupont," corresse il diavolo. "Aurelio Dupont, vice prefetto di polizia della Senna. Per il resto non so di che state parlando."

NOTTURNO LONDINESE
1 dicembre 1887

Quanta nebbia. Non che gli dispiacesse, a lui la nebbia faceva l'effetto d'un indumento supplementare: un bavero di loden con cui difendersi da ogni spionaggio d'occhi; una maschera dietro cui impunemente sparire...

Così sin dall'infanzia, quando nei giochi coi coetanei, in Pellicoat Lane, nulla lo divertiva come emergere d'improvviso da uno spessore di buio alle spalle d'una bambina e chiamarla per nome in un soffio, con voce falsificata. Lei si voltava di scatto, esibiva un'interrogativa e atterrita faccetta, sparsa d'efelidi, indi fuggiva a caso, mulinando le gracili gambe sulle calze arrotolate.

Vecchi tempi. Di cui gli durava nella memoria un'immagine, appunto, di nebbia. Come se gli anni di allora non fossero stati che una lunga camminata nella nebbia, con le guance pittate di nerofumo, fra mura slabbrate, dove stagnava un tanfo d'aringa e d'urina, e un unico rumore giungeva, più forte d'ogni bestemmia o rantolo di piacere e d'agonia: quel fischio inconsolabile dei rimorchiatori lungo il Tamigi.

Fece forza con la fronte sui vetri, provò a guardare. Bianco e poi bianco, nient'altro. Ma, aguzzando la vista, fili di fuliggine radi gli pareva nuotassero in quell'albore e un che di mobile trasparisse attraverso le smagliature della foschia. Come quando da una montagna, assediata dalle nuvole, si spia nella valle l'affiorare d'una frangia di bosco spettinato dal vento o il tremolio d'un torrente. Lui sapeva che il Tamigi passava sotto quella finestra, ne avvertiva la presenza come d'un difficile confessore ed amico; ma lo sentiva offrirsi altresì con l'agio d'una cuna di tenebra, dove gli sarebbe piaciuto una buona volta affondare. Si finse per un momento la scena. Sarebbe bastato aprire le imposte, issarsi sul davanzale, lasciarsi cascare, remando mollemente con le braccia, attraverso la comoda, compiacente ovatta dell'aria. Immaginò il *plof* del corpo nell'acqua, il silenzio e il gelo di pace, laggiù.

Se ne distrasse, attraversò la stanza, si diresse all'altra finestra, sui docks. Nessun indizio di vita, la città era morta, non era più che un cadavere imbalsamato fra sudicie bende. Nemmeno il familiare rimbombo delle selci sotto le ruote s'udiva, le carrozze s'erano certo rintanate tutte nei fondachi, nelle rimesse. Solo un vagabondo lume di fiaccola di quando in quando appariva, si spense infine del tutto. Doveva essere d'un cavallante, deluso di non trovare clienti da guidare per qualche scellino nel dedalo dei quadrivi. Seppure non era una ronda di sbirri...

S'asciugò la fronte col rovescio della manica. Sebbene nella stufa il fuoco languisse, e nella stanza si fosse insinuata una spina di freddo, sudava. Né valse a sollevarlo la sorsata di gin che inghiottì d'un fiato, da una bottiglia. Se ne sentì anzi infiacchire un poco le membra. Sedette sulla vecchia poltrona, quasi s'appisolò.

Una poltrona imponente come questa, lisa nei braccioli per un lungo sfregare di gomiti, accoglieva suo padre, allora, nelle sieste di mezza estate. In tutta Pellicoat Lane non ce n'erano di uguali, forse, né che meglio somigliassero a un trono. Buona per suo padre, ch'era d'ossa grandi: un toro. Buona per sua madre, ch'era una leonessa... quanti sabati notte, dal suo giaciglio nel corridoio, li aveva uditi affrontarsi e mischiare le potenti corporature in un duello senza perdono. Poi seguiva un silenzio di morte, e a lui veniva da piangere, s'addormentava e si svegliava piangendo... Ma era bello, l'indomani, partire in gita, con gli abiti della festa, per i quartieri dei ricchi. Loro tre in fila, come soldati, sostando ogni ora in un *pub* diverso a rifocillarsi; attenti a non perdersi di vista nella fiumana di folla che schiumava fra le case; storditi dalla confusione di trabiccoli, *cabs*, carrette, omnibus multicolori, coi viaggiatori seduti in figura di ventaglio che s'apre, i più bassi sulla gradinata corta, che sfiora quasi il selciato, i più alti col capo che attinge i balconi dei primi piani e paiono quasi volare... Era bello osservare sul fiume i battelli a vapore infilarsi sotto gli archi dei ponti, inchinando i tubi come facessero la riverenza; e sui cavalcavia fragoroso passare un treno. Mentre giù, per la corrente, scortata da barche, pontoni, zattere d'ogni sorta, una flotta di vascelli regali sfila in processione verso la foce... Bello anche, se non spaventevole, calarsi nella galleria sommersa che congiunge le due sponde, scendere a passo a passo la scala a chiocciola, incavernarsi nel budello di ferro che corre sotto le acque e risboccia oltrefiume, nel sole, ai piedi della gran Torre... Non c'era più tornato da quel tempo, ma l'aveva sognato mille volte, mille volte era disceso in un simile pozzo di nero marciume, con una lanterna in mano, per una scala senza ringhiera, che si torce e ritorce su sé...

Belle domeniche, ma nel ricordo una acceca le altre, vermiglia, e dolorosamente gli uncina il cuore: quella mattina che, giungendo di corsa, aveva spalancato l'uscio malchiuso della cucina e aveva visto sua madre, nuda, gocciolante e terribile levarsi dalla tinozza...

Si passò una mano sugli occhi, si rimise in piedi, si volse a guardare la stanza. Era una povera stanza, ma linda, dopotutto. Non fosse stato il catino professionale seminascosto da un paravento, e il sentore di cosmetici greve nell'aria, sarebbe parsa l'abitazione d'una giovinetta: con quell'uccello impagliato, che aveva perduto un occhio e col superstite da una mensola fissava il visitatore; la bambola in un angolo, rattrappita, in abito verde, che perdeva stoppa dal capo; le virginee cotonine, gli umili feltri che gremivano l'attaccapanni; la borsa del cucito...

Levò gli occhi: il lume a petrolio, sospeso al soffitto con una cordicella d'acciaio, oscillava tuttora, ch'era stato urtato durante la lotta, e veniva disegnando sulla parete ghirigori d'ombra e luce sempre più lenti, fino a quando, domato dalla sua mano, s'acquetò affatto e tornò a versare un affabile chiaro sull'apparato del desco. Lui, prima, non se n'era accorto, ma una cena bell'e pronta fumava sul desco... Scoperchiò la zuppiera, una fragranza di domestica, antica felicità se ne effuse, una memoria di mezzogiorni lucenti, di voci defunte e gaie, d'un chiacchiericcio irrevocabile e straziante, com'è ciascun felice o infelice minuto che passa; una memoria d'alte finestre, aperte su insegne e vetrine e organetti e bandiere ilari al vento, con un cielo misteriosamente celeste, visto attraverso il cristallo d'un boccale vuoto alzato contro la luce...

Fu tentato, affondò nel *pudding* un cucchiaino di stagno, se lo portò alle labbra, vomitò immediatamente sulla tovaglia...

Ma era ora d'andare. Si lavò nell'acquaio le braccia e le mani, dovette sfregare a lungo col temperino sui margini delle unghie, finché l'ultimo frustolo rosso ne scomparisse. Poi Jack scavalcò il fagotto di carne squartata ch'era finito a riddosso dell'uscio, aprì adagio e con soffici passi uscì verso la notte.

L'ULTIMA CAVALCATA DI DON CHISCIOTTE

Da molli briglie e incerti sproni condotto, Ronzinante tornava al paese. E si sarebbe confuso a ogni bivio, se non lo avesse soccorso, unica bussola e calamita, la rimembranza dell'antica stalla. Una rimembranza fievole, a dire il vero, poiché negli ultimi anni il cavallo aveva assai viaggiato e sofferto, di là da ogni suo naturale destino, sì da sentirsi straniero fra i bruni maglioli e i gialli cardi manceghi, un tempo così familiari.

Pure, tirato da quel pocolino d'odore di casa che gli durava ancora nel naso, l'anziano brocco metteva uno zoccolo dietro l'altro, col passo stesso di quei quadrupedi di cartone che sfilano a carnevale, muniti di ruote, fra file di folla vociante. Sbieco l'ambio, penzoloni la lingua e le orecchie, opaco l'occhio come per una caligine... che meraviglia, se nessuna gesta che ricordasse valeva a mitigargli l'agrume dei guidaleschi? Ché anzi, benché gloriose, solamente le cadute gli venivano davanti: quando, spinto a galoppo contro un marrano, era stramazzato per un inciampo insieme alla cara soma; o quando lo avevano steso al terreno i randelli dei mulattieri, le sassate dei galeotti, il cozzo in giostra col cavaliere dalla Bianca Luna...

Tornava, dunque, Ronzinante per la piana di Montiel, alternando a quelli del ciuco i suoi posteriori afflati, non già trombettieri e baldi, quali nel giorno della comune sortita, bensì sospirosi e dimessi come gli aneliti d'un penitente.

Il padrone... oh, lui appariva altrettanto mutato. Non perché più larghe trincee gli arassero il collo, o più serpigne crespe la fronte, ma per un bianco mai visto che gl'incanutiva i mustacchi, pur dianzi nerissimi a spiovere su entrambe le guance. Non solo, ma spenti d'allegrezza sembravano gli atti dell'uomo, e cionchi d'ogni coraggio, quasi che un re deposto ambulasse sotto i suoi panni.

Diversa alla vista la figura di Sancio, che gli cavalcava da presso e veniva sbattendo su e giù le palpebre, con la medesima cera di chi ha or ora guardato fisso nel sole. Benché, da talune mimiche e avvisaglie solitarie, non v'era dubbio ch'egli covasse nell'animo le aspettative d'una rivincita, per non dire d'un trionfo: con tale rapida ebrezza gli correvano le mani sul ventre a palparvi una cintura gonfia di presumibile oro; o a riconoscere questo o quel cofanetto nelle bisacce; o a portarsi l'otre per un assiduo bacio alle labbra... ma, più ancora, per un novello, inatteso orgoglio di sfidare il vento col capo levato; e di muoverle, quelle mani, quasi impugnando un invisibile scettro... Salvo, di lì a poco, tornare ad usarle nelle più servili incombenze. Come quando, nel bel mezzo d'un ponticello che scavalcava una gola, dalle parti di Montesinos, il somaro s'impuntò, che pareva una pietra, sicché fu giocoforza al bifolco sgravarlo, nonché delle proprie membra, delle masserizie e del basto. Né Ronzinante fu da meno, ma cadde sulle gambe, incapace di reggere oltre lo sforzo del camminare.

"Signor padrone," si volse Sancio al cavaliere, che senza far motto s'era divelto dalla sella e se ne rimaneva appoggiato a un fragile corrimano di corda, mirando giù nel burrone le acque precipitose. "Signor padrone, qui non possiamo durare," e così dicendo, nel vederlo inerte, gli sfilò dal fianco la spada, la sguainò e con la punta andava aizzando le costole delle due bestie, seppure non le bastonava di piatto. Né risté finché non le ebbe forzate a levarsi e a guadagnare il capo del ponte, dove lui stesso, a forza di braccia e di schiena, si curò poi di ridurre le salmerie, mentre il compagno, attonito tuttora e come in estasi, chino sulle seduzioni del fondo, da solo a bassa voce parlava e si rispondeva:

"Chisciano Chisciotte," diceva, "che hai fatto degli anni tuoi? Ecco, per caldi e geli hai corso l'orbe terraneo, a pro' di dame e d'afflitti, cavandone grami successi ma molti colpi e cachinni. Maghi t'hanno affatturato appieno il pensiero, né sai più dire se sei Chisciotte o Chisciano, se chi ti guarda dallo specchio è la tua faccia o un prestigio, un corpo di sangue o una fantasima d'aria. Elmi hai visto scambiarsi con bacinelle di peltro, fondachi con castelli; sul mento d'un glabro barbiere crebbe una barba stravagante, dalla celata d'un paladino spuntò la mutria d'un baccelliere... Voi stesse, Maritornes, Altesidora, mie dee travestite, e tu Dulcinea, giorno della mia notte, gloria della mia pena, tutte voi, attraverso quanti mai disincanti e malie m'avete fatto ridda nel cuore, ora regine ora serve, odorose d'aglio o zibetto, ma sempre in un soffio evasive, quando con mani vane tentavo di trattenervi... Ahimè, chimera e trucco è la vita, un tavolino da gioco drizzato nella gran piazza del mondo. Ed è l'amore un busillis che dispero di sciogliere, ormai. Se non forse fra queste schiume di fiume..."

Ma già con importuna urgenza Sancio lo richiamava, traendolo per un braccio, col piglio d'un infermiere manesco, libertà che un tempo non si sarebbe concessa. Al che mestamente l'hidalgo:

"In fede mia, ti fai arbitro troppo brusco di me, se m'agguanti in cotale maniera. O ti credi ancora nell'isola e coronato per Sancio Primo, con diritto di mano militare su ogni suddito delle tue terre?"

Replicò lo scudiero: "Non è ora di troppi riguardi, Chisciotte mio. Poiché queste assi sono fradicie, dove posiamo le piante. E a me tocca vedere e prevedere per due. Sai che quando un cieco mena l'altro, tutt'e due cascano insieme. Vienimi appresso tranquillo. Saprai quanto prima se non ho fatto buona masseria del mio governare e se non son cresciuto in saviezza e bontà. Da pretendere io stesso l'arme di cavaliere. Ma si pensi oggimai alla vita. Chi a due lepri dà la caccia, l'una non piglia e l'altra lascia..."

Scamparono così dalla stretta, né ebbero cuore di montare da capo sulle smunte cavalcature, che male li avrebbero retti. Sì andavano a piedi, dopo avere accomodato il bagaglio su una carriola di soccorso, rinvenuta per buona sorte sopra un ciglione, e che Sancio, legata ai polsi con due tiranti, trascinava dietro di sé.

Non corse molto che don Chisciotte si sentì cuocere i piedi di bolle e una debilità estrema nel petto. Pure continuava ad andare. Solo cercò con le dita la coda di Ronzinante e la strinse come una treccia amorosa, indi vi s'appese con gli occhi chiusi, trovando nell'amorosissima bestia tanto residuo vigore e misericordia fedele da consentirgli la marcia. Fino a quando, lungo un tratturo più aspro, dove le peste d'innumerevoli capre avevano seminato il suolo di screzi, mentre non distavano più che tanto dalla *Venta de l'Agua dolce*, le forze gli mancarono affatto e si lasciò pianamente cadere sull'erba.

Si riscosse ch'era in un letto della locanda, accanto a una finestra donde si scorgeva un pezzo di cielo e un angolo di cortile, con fantesche affaccendate a spiumare un'oca, altre armate di secchi e garrule attorno a un pozzo. Nessuno nella stanza, e il cavaliere si sentì sollevato. Non era d'umore da sopportare indiscrete premure, ma gli piacque origliare laggiù, affievoliti dai muri, gli scherzi e i parlamenti muliebri. Si tastò, si trovò immune di lividi e piaghe, ma stanco come mai dopo nessuna delle sue mille disgrazie. Stanco d'una stanchezza nuova, dove non mancava un sentimento di disordinata felicità, la stessa che aveva provato una volta, ragazzo, dopo una lunga terzana, il mezzogiorno che s'era sentito finalmente sgombro di febbre e s'era sporto dalla soglia a prendere nel coppo delle mani l'alluvione rossa del sole. Pensò che stavolta era vicino a morire, e che la morte guarisce la vita, e che questo odierno languore era, più che un indizio di male, il presagio di un'imminente convalescenza... Ricordò l'incontro che aveva fatto, nell'uscir dal Toboso, con la carretta d'attori, e come la Morte gli era apparsa, insieme a un Cupido senz'armi, ritta in piedi sul tavolaccio; e come un Diavolo pulcinello, agitando sonagli e vesciche, s'era involato sul somaro di Sancio... Quella volta lui s'era di leggieri convinto che tali apparizioni non fossero quel che parevano, ma quel che dicevano d'essere: non la Morte, il Diavolo, Amore... ma comici di passo, povere maschere erranti.

Ma se non fosse stato così? Se fossero stati veramente, in sul principio del suo cammino, la Morte, il Diavolo e Amore a volergli significare un presagio? Non era la prima occasione in cui vedeva la verità camuffarsi da verità per far credere d'esser menzogna. Né ignorava quanto poco valgano gli occhi contro i miraggi del Grande Prestigiatore...

Si levò, facendo cricchiare le lunghe ossa entro la copiosa camicia in cui, durante il deliquio, qualcuno lo aveva infilato, e che lo rendeva simile a uno spaventacchio di passeri. Così vestito, s'accostò ai vetri per meglio osservare e scorse, in quella, le froge di Ronzinante di sotto la finestra levarglisi incontro, e udì dalla corte un nitrito amico echeggiare dentro la stanza come uno sparo di moschetteria. Aprì le imposte, calò la mano sull'umido muso dell'animale, ma l'ebbe appena sfiorato che si ritrasse, pauroso che occhi indiscreti lo cogliessero in così poco marziale divisa; o che Sancio, fatto accorto del suo risveglio, venisse a turbargli la quiete. Quindi tornò ad accoccolarsi a mezzo il guanciale, congiungendo sotto la tela i ginocchi stecchiti per farsi un po' di calore, intanto che dal suo posto, per quel che se ne poteva vedere, studiava in cielo le nuvole e le loro mischie e passioni.

Spettacolo inusitato. Soprattutto per il cielo della Mancia, da cui non cade mai goccia di pioggia, ma che un inflessibile azzurro dipinge. Senonché quel giorno le nuvole di tutti i cieli del mondo parevano essersi dato convegno lassù, come per un giudizio universale di nuvole, e dovesse ciascuna trovar posto a scapito d'altre, e con le altre s'azzuffasse, si scapigliasse in inestricabili abbracci...

"*Quam sordet tellus cum coelum aspicio*", mormorò il cavaliere, che nel suo zaino non portava solo le storie di

Amadigi di Gaula, ma un libretto di sant'Ignazio. "*Cum coelum aspicio... Cum coelum aspicio...*" ripeté, come in una ninna nanna assopente, poi, passandosi sulla fronte la mano, ne escluse i pensieri profondi e con gli occhi e le nuvole volle fanciullescamente giocare.

E immaginò ch'erano profusioni di fiori, trofei di gelsomini e di gigli che una mano nascosta sfogliasse infinitamente... o gioghi di monti crollanti, sfasciati da un interno sospiro, un intenerimento e tepore, donde sorgive nascessero, e torrenti di primavera, e innocue valanghe di friabile neve... o una città di castelli, dai bastioni scolpiti, dai ponti levatoi levati su fossi vertiginosi, fra cui cherubini passeggiassero a volo e portavano al fianco una durlindana raggiante... o immani leoni e grifoni avvinti in duelli di zanne e denti impalpabili, fioccose belve che Proteo a ogni istante rinnova... o tabernacoli d'alabastro... o flotte di cigni, foreste di ninfee, capelli sciolti di Dulcinea...

Presto un subbuglio dorato cominciò tenuemente a tremare dietro il velario di immacolato percalle. Il sole doveva essere sorto da un pezzo, sebbene soltanto ora, col dito sulle labbra e a passi di soffice larva, osasse alle spalle di tanto candore venire lui stesso segretamente a giocare, dal suo palco sull'altra faccia del cielo. Segretamente, ma non sì che non trapelasse qualche malizia della sua presenza, un ingannevole brulichio di dobloni sul fondo d'una riviera, che la vista coglie e subito perde allo sdoppiarsi d'un mulinello. Il cavaliere tese le braccia a quell'oro lontano, là dove lo spessore dei cumuli s'attenuava, sfrangiato in cirri fuggiaschi: o sole! E gli parve che una sola nube di spropositata grandezza si fosse aggregata, di tante minuscole che c'erano prima, e si stendesse da un punto all'altro dell'orizzonte in forma di bastimento che salpa. Come se quei trastulli, metamorfosi e guerre non fossero stati che fatiche preparatorie a varare questa nave e un transito in essa. Oh partire con essa, su per una Via Lattea, su per un corno d'arcobaleno, come quando in groppa a Chiavilegno l'Aligero era stato assunto fra gli astri!...

Non seppe, forse non volle, cogliere il destro. Un raggio di fuoco furioso irruppe dentro la nuvola e la disfece, simile al colpo di spada che spacca il cuore del toro. Tutto il mondo s'insanguinò: la frasca d'insegna appiccata all'uscio dell'osteria, i finimenti di Ronzinante, la *navaja* nel pugno d'un servo, l'ala di un'effimera in volo... E in quel sangue di luce ogni spigolo parve brillare più netto, crudo, definitivo, fosse di oggetto o di idea...

Don Chisciotte s'asciugò gli occhi con un lembo della camicia, si rivestì lentamente dell'arme, lentamente uscì dalla stanza, scese a piedi verso il cortile. Era tempo di rimpatriare, e certo Sancio doveva aver accudito e messo a punto le bestie...

Lo trovò davanti alla cucina che perorava alzato su una catasta di legna, oratore di meraviglie, a un popolo di sguatteri e cavallanti, seduti chi a terra, chi sulle sponde dei carri, attenti tutti e storditi all'ascolto. Sancio aveva indossato la zimarra nera a fiamme dipinte, dono della Duchessa, e pareva una torre, gli brillavano le pupille d'una brace regale, le parole gli uscivano esenti della usata rusticità, ma s'impennavano e sventolavano come bandiere.

"Guardatemi," diceva. "Un servo, un villano, a vedermi. Pure ho compiuto fatti d'eroe. Né lo avrei creduto prima che mi sbendassero gli occhi; quando vivevo contento del mio piatto d'olive, ignaro di libri, e ogni rigo di scrittura mi somigliava a una fila di formicole scure... Ma ora ho tanto viaggiato, pugnato, patito. Ora so finalmente chi sono: una memoria e una forza di giornate famose... E quante ve ne potrei raccontare! Di quel giorno che, vinto da un sortilegio di re, in una reggia in apparenza simile a un albergo come questo, dovetti più volte saltare in aria su una coperta di muli... e di quando misi in fuga col solo grido il famoso Ginesio da Passamonte... e di quando mi diedero un arcipelago da governare e così bene lo governai, raddrizzando i torti e riparando i danni, da meritarmi la mitria che per sdegnosa umiltà ho delegato in capo al mio asino. Asino, dico, ma dovrei dire Pegaso, se tante volte sulla sua groppa ho volato, dirigendolo a mio piacere con due semplici calcagnate! Ché insieme siamo stati per sierre e pianure, abbiamo conosciuto principesse e mandriane, fatto cadaveri risuscitare... Voi dite: che guadagno t'è venuto da tanti moti? Una scienza sola ma immensa, ed è che sbagliavo a fidarmi dei miei sensi d'uomo grosso e piccino. Ora so che in ciascuna miseria carnale può celarsi un visibilio celeste. E che quelli che scorsi un mattino, mostri arcani roteanti nell'aria, contro il rigo dell'orizzonte, trenta, quaranta... chi poteva contarli? quei mostri che bravamente il mio signore affrontò... erano, ora lo so, veri e montuosi giganti, Encelado, Tifeo, Briareo dalle molte braccia. E che valeva il suo prezzo sfidarli a costo di cadere e morire..."

Ma don Chisciotte, che aveva ascoltato non visto dietro di lui: "Sancio, ritorna in te," umanamente gli disse. "Erano solo mulini. Mulini a vento, niente di più." E con un fischio chiamò Ronzinante.

LA PANCHINA

Primo giorno

Come d'abitudine, aveva deciso di portarsi dietro un libro, anche se sapeva che non lo avrebbe aperto mai più.
Il medico era stato brutale e breve: "Rètina a pezzi, *black-out* in arrivo." "Anni, mesi?" aveva chiesto lui. "Mesi," s'era sentito rispondere. "E sempre che..." Lui aveva annuito, sarebbe stato un paziente modello, avrebbe saputo centellinarsela, la poca luce... Ripensò all'altra sentenza meno recente, decifrata senza fatica – s'era fatta una competenza, ormai – nel grafico d'un cardiogramma; e l'incertezza sportiva, chi sarebbe andato prima in malora, se il cuore o la vista, gli mise addosso una losca allegria. Un arrivo sul filo di lana, come dicono le gazzette... benché il cuore fosse in testa, per ora, era partito in vantaggio, era da tanto che gli tremava nel petto, non ci voleva più che un soffio per farlo precipitare.
Ricordò che suo padre, sentendo avvicinarsi la fine, s'era raccomandato che gli mettessero le scarpe ai piedi, prima che li gonfiasse la morte. Pretendeva una morte decente e l'aveva avuta. Ma lui?

Villa Bellini di primo mattino differisce poco da un parco privato. È un recinto di sonnolenza deserta, che nemmeno più turbano ormai, come un tempo, dietro la siepe del vecchio maneggio, gli *hop hop* intermittenti di un cavaliere invisibile. Per il resto pensionati radi lungo il giro del grande piazzale, bambinaie e bambini a passeggio attorno al lago dei cigni, un venditore di semi e un venditore di palloncini, come due sentinelle in cagnesco, seduti ai piedi del viottolo, dove esso prende lo slancio a salire verso il viale detto "dei Grandi". Qui, su una panchina, stava il vecchio, col volume chiuso sulle ginocchia, aguzzando la vista se mai potesse non dico compitare nel prato, composta coi fiori, la data del giorno (16 gennaio? 18 gennaio?), ma almeno distinguere a sufficienza i lineamenti della donna e del bambino che venivano alla sua volta. Quando li ebbe di fronte, dovette inforcare con dita dubbiose gli occhiali, tanto gli veniva difficile estrarre da quelle macchie di nebbia un'evidenza di vita. Non obbedendogli gli occhi abbastanza, chiamò in aiuto altri sensi, annusò l'aria intorno, armò l'orecchio all'ascolto.

"Chi sono?" sentì che il bambino chiedeva alla ragazza, mentre faceva rimbalzare la palla in un suo gioco solitario.

"Chi sono, chi?"

"Le teste di pietra." Il bambino indicava i busti di pietra, dalle risolute fedine.

"Uomini importanti, uomini morti."

"Morti? Che vuol dire 'morti'?"

"Va a giocare, va," fece la ragazza e lo spinse da sé, si allacciò l'auricolare di una radiola, sembrò murarvisi dentro al riparo, sola con un ballabile di cui scandiva a terra col piede le misteriose cadenze.

Il bambino lanciò la palla, la rincorse fin sotto le scarpe del vecchio e fu così che i due si conobbero.

Il vecchio è sulla settantina, di povero ma civile vestire, con qualche fregio graziosamente antiquato: cravatta Lavallière, cappello a falde grosse, un ombrello d'incerata grigia, da fattore, che gli fa quasi da gruccia.

Il bambino è minuscolo più della sua età, ch'è pur minima, cinque anni al più. Porta un ciuffetto di biondezza che gli spiove sugli occhi celesti, ha la pelle nobile, sembra un Infante. Sta parlando alla palla, la supplica, la rimprovera. Specie ora ch'è finita fra le grosse scarpe del vecchio e v'è rimasta incastrata come fra le chele d'uno scorpione. "Ehi, tu, ehi!" si volge infine il bambino al vecchio, che ha gli occhi chiusi e pare non veder nulla, non sentir nulla. Finché l'altro gli s'incunea carponi fra gamba e gamba e ne esce trionfante col bottino fra le mani. Quando sta per tornarsene si sente chiamare con un nome che non è il suo: "Giovanni!" e si volta puntiglioso: "Non mi chiamo Giovanni!" "Michele!" "Non mi chiamo Michele!" E aggiunge, perché il gioco comincia a piacergli: "Acqua, acqua!" e ancora: "Acqua, acqua!" risponde al vecchio che insiste a tentoni: "Luigi!", "Alfio!", "Giuseppe!", finché la donna accorre, che seguiva da lontano la scena, e dichiara, definitiva: "Gaetano, Tano." Quindi: "Mi posso sedere qui?".

S'era tolta i due spinotti di bachelite dalle orecchie e appariva nell'impermeabile di taglio maschile così disarmata e sfacciata, con gli ossi degli zigomi che le sporgevano sotto la pelle e un che di torbido e urgente nelle pupille, come chi ha un pensiero eccessivo ma non sa trovargli parole.

Non aspettò la risposta, sedette a fianco del vecchio. Non solo ma gli tolse il libro di dosso: "Che leggi?", con un "tu" ch'egli accolse con gratitudine, senza vederci lusinga bensì solamente un moto di connivenza impulsiva.

"Non leggo più," rispose. "La vista è persa. Tuttavia un libro me lo porto dietro ugualmente per compagnia. Qui, su questa panchina, venivo a studiare da giovane. Dunque, ogni volta che ci torno, mi porto un libro."

"Che è, arabo?" fece lei, sfogliando. E lui: "È greco," rispose. "Sai, un tempo insegnavo greco..." Sebbene lei non lo ascoltasse più, era balzata all'incontro d'un giovane basso e scuro, apparso a un capo del viale.

Il bambino tornò da una corsa: "Dov'è tata?" e il vecchio tirò di nuovo a indovinare: "Vuoi dire Luisa?" "Acqua, acqua!" "Concetta? Serafina? Lucia?"

"Noemi," svelò il bambino, generosamente, e aggiunse: "Io le voglio bene."

"Quanto a tua madre o di più?" chiese il vecchio. Il

bambino non rispose subito, osservava i capricci della palla sulle asperità della ghiaia. "Mia madre è morta," disse poi e domandò: "Che vuol dire?"

"Cosa vuol dire cosa?"

"La morte, i morti, quelli là," e indicava i busti sbocconcellati di Domenico Tempio e di Mario Rapisardi.

"La morte," disse il vecchio, "è quando uno non sente più rumori, non vede più colori. Quando non cammina più: sta. Come una palla che, se non la fai ruzzolare, si ferma e sta."

Guardava, mentre diceva questo, in direzione della coppia, il giovane e la ragazza, che questionavano concitati all'altro capo del viale. Vide in confuso che lui le dava una cosa e un'altra in cambio ne riceveva. Capì che gli conveniva distogliere gli occhi, si distrasse dunque a seguire gli atti di Gaetano e il suo gioco nuovo: di far rimbalzare la palla, inchiodandola poi di botto al terreno col piede e sdraiandosi infine bocconi, con le mani sulle tempie, a fissarla inerte.

"Che fai?" gli chiese, ma quello: "È morta," diceva fissando la palla inerte davanti a sé...

Noemi era tornata sola, frattanto, restava in piedi e si torceva le mani:

"Che devo fare?" disse. Poi, sottovoce: "M'ammazzo, è più comodo."

"Per comodo è comodo," consentì l'uomo e tacquero tutt'e tre per un poco.

"Quanti anni hai?" riprese il vecchio. S'era accorto finalmente della fasciatura bianca che le bendava i polsi, ma fece finta di nulla, si puliva col pollice e l'indice le due lenti degli occhiali.

"Ventidue."

"Ventidue?" si stupì lui e d'improvviso un'ira puerile lo invase, ma con essa, per il frangente oratorio che gli s'offriva, un'esultanza ch'era simile, quasi, a una pienezza amorosa. S'infervorò: "Ventidue miseri autunni, inverni, estati, primavere! O che ne sai tu per voler smettere così presto di giocare? Che puoi aver capito tu finora della musica del mondo? Della luce e del buio? Del mare e del cielo? Del vento? Della luna? Degli uomini? I cari sconosciuti che ti passano accanto e hanno, ciascuno, una ricca speranza e una ricca pena nel cuore... Ti sei mai chiesta quanti miliardi di uomini e donne sono vissuti dal tempo dei tempi e hanno disperato e sperato prima di te? Miliardi di miliardi, pensa che folla farebbero! Pensali qui, a riempire villa Bellini, e la piana di Catania, e l'isola intera, e la terra intera, fitti fitti, qui ad Acquicella, a Cibali, a Novalucello, ma anche a Lisbona, a Cincinnati, a Vladivostok, fitti fitti, tutti, sui cornicioni, sulle terrazze, un mare di puntini neri, di teste e braccia levate, tutti, come nel giorno del Giudizio, con le braccia levate come stanghe di carretto..."

Era da tanto che non faceva lezione, la voce lo tradì, gli si ruppe in un ingorgo di tosse che pareva non dovesse sciogliersi più. Noemi pazientemente aspettava, lo fissava con occhi increduli e opachi. Aveva posato sulla panchina, sopra il libro di lui, una borsetta semiaperta, dove era visibile il pacchetto di siringhe, la bustina delle dosi, un apparecchio di morte troppo moderno perché lui lo riconoscesse. E continuava a fissare il vecchio, aspettando una tregua di quella tosse.

Anche lui non aspettava che questo, anelando di ricominciare. Poiché la sua tirata gli veniva, sì, un poco, dall'antico gustoso abito della retorica, ma specialmente da un'abbondanza del cuore. Un sentimento ch'era una mescolanza d'ira e misericordia, un'umile, invidiosa, pietosa collera per tante morti precoci sciorinate lungo le strade del mondo, per tanto spreco di giorni giovani buttati al vento a dispetto e mortificazione di chi ha i giorni contati...

"Sai," riprese pianamente, "quante stelle ci sono in cielo? E costellazioni, da Andromeda a Vulpecula? Bene, gli uomini morti sono di più; e tutti se potessero risuscitare un momento, tutti stipati fitti nella pianura, li vedresti levare le braccia al cielo, gridando, supplicando per un po' di rumore e di luce, a costo di qualunque strazio e tortura. Perché non c'è tortura che non sarebbero pronti a patire in cambio d'un pugno di misera luce, d'un attimo solo di miserabile luce... Tutti leverebbero le braccia, se potessero, e non possono, perché sono solo polvere, polvere..."

La ragazza si mise a ridere. A scatti secchi, come d'un motore d'auto che non riesce a partire.

"Che favella, accidenti! Ma una cosa non mi dici: dove finisce mai tanta polvere. Perché ce ne dovrebbe essere tanta ormai, montagne altissime, la terra dovrebbe esserne piena... Allora, dimmi, com'è che la terra non cresce?"

Lui s'era stancato, aveva chiuso di nuovo gli occhi e con mani cieche si rovistava le tasche. Da un flaconcino che vi trovò trasse una compressa che si mise sotto la lingua. Poi, stancamente:

"Cresce, cresce. Anche se nessuno se ne accorge, per ora. Ma un giorno la cenere dei morti colmerà fiumi ed oceani e la terra perirà."

Nel silenzio successivo la voce del gelataio suonò sfiduciata e lontana: "Piangete, bimbi, che la mamma ve lo compra!"

La raccolse, unico, Gaetano e invitò con gli occhi la donna, le agguantò la mano, se la trascinò dietro verso il carrettino che ancora dalla curva non spuntava.

"Nonno, aspettaci, non te ne andare," disse lei al vecchio senza voltarsi.

Secondo giorno

Non li aspettò. Gli era venuto freddo, sentì il bisogno della sua poltrona, a casa, e d'un bicchiere di vino. Ma l'indomani, alla stessa ora, nonostante qualche minaccia di pioggia, uno zelo lo spinse alla solita panca, come per una sottintesa parola d'onore.

Dopo pochi minuti ecco i due, quando s'era già messo a piovere e il vecchio si scorgeva appena sotto la cupola dell'incerata, impietrito e grave nell'ingombro del suo paltò.

"Allora, la bua come va?" s'informò lui, toccandole con un dito la fronte.

Ma lei: "No, professore, non ti racconterò la mia vita. Tu non sai le parole del caso. Tu hai troppi anni e parli difficile e hai gli occhiali, un libro che non si capisce..."

Gli tolse dalle mani il libro, lo aprì alla cieca, mise il dito su un rigo qualunque: "Forse questo libro potrebbe aiutarmi, forse qui dove ho messo il dito c'è la risposta, c'è scritto cosa deve fare una che non sa cosa fare. Ma io non so il greco e tu non hai gli occhi buoni..."

Il vecchio le prese la mano un momento, le carezzò il polso bendato, le fece con gli occhi una domanda a cui lei rispose col mento di sì.

"Per questo sei così pallida..." e se la strinse accanto sotto l'ombrello, si tirò sulle ginocchia il bambino, il quale taceva contento, non c'era per lui piacere più grande di ascoltare due grandi parlare.

"Non sai le parole giuste per me," fece lei. "Ma una favola per Tano forse la sai. O, meglio, per tutt'e due..."

"Ti contenteresti di un sogno?"

Il bambino protestò: "No, io voglio una favola vera. E nuova. Le vecchie, le so tutte da un pezzo."

"Allora diciamo, per esempio, che una volta c'era un principe. E si perse in un bosco. E nel bosco c'era un castello. Lui entra e trova una scala d'argento, una scala magica. Chi sale, ad ogni gradino invecchia d'un anno. Chi scende, ad ogni gradino ringiovanisce. Allora il principe..."

L'indugio era calcolato, la ragazza non abboccò. Ma Tano: "Che fece il principe?"

"Tu che avresti fatto?" dissero il vecchio e Noemi a una voce.

E risero, quando Tano, dopo avere gridato: "Salire, diventare grande!" si rimangiò precipitosamente la scelta: "No, aspettate, scendere, scendere!"

"Vedi," gli disse il vecchio, "non sai. E nemmeno il principe seppe. Rimase immobile su uno scalino e non

sapeva che fare. E lì sarebbe ancora, se...''
''Se?''
''Se non fosse arrivato un gigante. Il quale cercava scarpe per i suoi piedi. Calzava il novantanove, lui!''
''Allora?''
''Allora venne al castello. Dove aveva visto un giorno due grandi vasche da bagno. Sperava che gli andassero bene...''
S'interruppe. Il giovane del giorno prima era in piedi davanti a loro. A capo scoperto, di capelli rizzuti e gocciolanti, bagnato e bello. Un tipo basso vestito di cuoio, bello nel suo cipiglio che non si capiva se fosse di camionista o studente.
Noemi alzò gli occhi, brusca: ''Che c'è, ancora?''
''C'è che tu ora vieni con me e ritorni a casa.''
L'afferrò per un braccio, la fece alzare, ma lei resisteva. E Tano coi piccoli pugni picchiava la gamba dell'uomo. Lo stesso vecchio si alzò, chiuse l'ombrello, lo brandì minaccioso: ''Bestia,'' gli gridò, ''vattene via!''
Allora il giovane inaspettatamente sciolse la presa, si mise a piangere. ''Tu,'' fece, accusando Noemi. ''Tu, tu, tu!'' e piangeva. Quindi scosse il capo. ''Torna a casa,'' disse un'ultima volta e da solo s'incamminò.
''Ma per le stringhe? Come fa per le stringhe, il gigante?'' chiese il bambino, che s'era messo a piangere anche lui, fra le lacrime.

Nella colluttazione il libro era finito nel fango. Noemi lo raccolse, lo ripulì. Era chiaro che non intendeva tornare sull'accaduto, parlò con voce neutrale: ''Le trovi in questo libro, le favole che racconti?''
''Oh no, le invento io.'' Il vecchio la secondò, come se non fosse successo niente. ''Mentire è il mio spasso superstite, ormai.''
''Lo immaginavo,'' disse la donna. ''Hai gli occhi marezzati e questo significa ipocrisia. Pure avrei voluto studiare a scuola con te, leggere con te questo libro. Cosa racconta, professore?''

Il vecchio lisciò con le dita il volume: "È la storia di un cieco a braccio d'una ragazza." Poi, senza leggere, recitò: "O figlia d'un cieco invecchiato, Antigone, dove siamo arrivati? Una campagna, un paese d'uomini? E quale? Ci sarà qualcuno anche oggi ad accogliere con doni anche poveri questo Edipo errabondo?..."

Era spiovuto, intanto. Addirittura era venuto il sole e brillava sui crani dei busti, asciugava rapidamente le foglie disperse del viale.

"Ma le stringhe?" chiese ancora il bambino.

"Oh," disse il vecchio, "non occorrevano. Erano scarpe speciali, mocassini di porcellana..." Poi, alla ragazza: "Ma tu che fai, come vivi? Accompagnando bambini?"

"Quando capita. In verità sono assistente sociale. Benché non assisto nessuno, sono da assistere, io."

S'udì in lontananza uno strepito di giostra, doveva esserci un luna park nelle vicinanze e il ritorno del sole lo incitava a ricominciare.

"Hai una figlia, tu?" chiese Noemi. "Qualcuno da andarci a braccetto?"

"No," rispose lui. "Sono solo. Come figliolo ho adottato il fantasma di me stesso adolescente."

"Non servirà molto, un fantasma, il giorno che ti dovrà chiudere gli occhi."

"Se è per questo si muore meglio da soli. È una festa per solitari, la morte."

"Una festa? Non dicevi ch'era una festa vivere?"

"Un giorno capirai che di ogni verità è vero anche il contrario. Come questo spolverino che indossi, *double-face*..."

Tacquero, il gelataio di ieri tornò a gridare, ma Gaetano non parve udirlo, stava a bocca aperta a sentire i due.

"Non mi piace, quell'uomo," disse il vecchio.

Non s'aspettava una resa così repentina e che lei consentisse di colpo a svuotarsi del suo segreto come una partoriente si sgrava:

"Io, invece, è da quando avevo quindici anni che mi

piace e gli piaccio, che mi brucia dietro e io brucio con lui!"
"Tutto qui?" il vecchio scosse le spalle. "Cosa c'è di terribile nell'amare un uomo ed esserne amati?"
"C'è," traboccò lei, "che sono una disgraziata. Perché la mia scelta non è fra una ragione e una passione, ma fra due fatalità, due disastri: se debba tornare con lui e morirne, oppure lasciarlo e morirne..."
Esitò, poi, didascalicamente: "Vedi, noi siamo tre, orfani e viviamo insieme, io, lui e mia sorella. Ed è lui, mio fratello, che ci ha corrotte entrambe sin da principio, quando eravamo ragazzi. Ed ora mia sorella sta immobile in una sedia a rotelle, ed ha due reni fradici e la mente furiosa. E mi dice ogni sera: 'Va con lui, sorellina, passa la notte con lui. Ama per me, grida per me. A me basta sentirvi dalla mia stanza'..."
"Il caso è raro," disse il vecchio. "Ma non più empio di tanti che si leggono sui giornali."
"Sì, ma che devo fare? Me ne sono andata di casa a fare la bambinaia, ma non ci resisto. E lui, vedi come mi sta dietro, come non mi dà requie. Ne ho paura come di un topo. Ma se mi sfiora appena, mi si sciolgono le gambe, brucio tutta e non so dirgli di no..."
Si alzò: "Non è tutto, nonno. Ho dentro un'altra vergogna più micidiale che non ti dico, che ti dirò domani."
Raccattò la borsa, la chiuse, prese per mano il bambino che ora aveva una guardata d'adulto, irresoluta e infelice, e s'avviò per andarsene. Ma dopo pochi passi, tornando indietro: "E di Dio che mi dici, nonno, che c'è?"
Lui si alzò a sua volta, la raggiunse adagio:
"Che domanda mi fai! Forse c'è ma noi non sappiamo più vederlo intero, ne scorgiamo solo frantumi, un filamento, un relitto, un bisbiglio, qua e là, in un lume di luna sul davanzale, in un soffio di vento fra le foglie scure d'un gelso, nel gemito d'una ragazza che si vorrebbe ammazzare... Te lo dirò meglio domani, lasciamici pensare un po'..."
"A domani, dunque, alla stessa ora."
"Infallibilmente."

Terzo giorno

Villa Bellini di primo mattino differisce poco da un parco privato. Un giardiniere è curvo, nella sua tuta color lavagna, a comporre coi fiori in un'aiola una data, 20 gennaio o giù di lì. Pensionati vengono e vanno. Un'istitutrice di mezz'età, alta, magra, si lascia guidare per mano verso il viale dei "Grandi" da un bambino che pare aver fretta.

"Che numero di scarpe porti," chiede Tano, intanto che salgono, ma non ottiene risposta. "I giganti portano il novantanove," dice ancora, e poi: "Non so ancora come ti chiami." Lei risponde: "Vincenza," e lui: "Noemi era un nome più bello."

Ora s'è liberato della mano di lei, rincorre la palla che ha lanciato lontano laggiù, dove un signore siede su una panchina, né gli si vede la faccia, nascosta da un gran giornale spiegato. Gioca, Tano, a mandargli la palla fra i piedi e ride in anticipo. Ma si cheta di botto, quando un viso nuovo gli si rivela dietro il sipario, di un signore mai visto, che gli consegna la palla senza dir nulla e ritorna a sprofondarsi nella lettura.

Più tardi un giovane basso compare in capo al viale, ed è ancora vestito di cuoio. Riconosce da lontano il bambino, cerca qualcuno accanto a lui ma non vede che una donna di mezza età, alta, magra, la signorina d'asilo Sbezzi Vincenza.

Si siede allora sulla panchina di fronte e poppa perplesso una sigaretta. Il bambino non se n'avvede, sta squadrando il vecchio signore che legge. Infine scuote il biondo del capo, fa battere a terra la palla tre volte, quindi la blocca col piede, si sdraia bocconi a guardarla inerte, morta, premendosi con le palme le tempie, e parla fra sé piano piano.

IL GUARDIANO DELLE ROVINE

Sarà fortuna, sarà vocazione, ma non ho fatto quasi altro nella mia vita che custodire cose morte o morenti. Ora che sono avanti negli anni e posso guardarmi indietro da un'altura vicina alla cima, non cessa di colpirmi, fra i confusi zig zag e i paradossi del mio cammino, questo filo ostinato che li smentisce, o almeno sembra smentirli. Forse è vero che ciascun uomo porta scritta nel proprio sangue la fedeltà d'una voce e non fa che obbedirvi, per quante deroghe l'occasione gli suggerisca. Così a me dev'essere stato sortito un perpetuo destino di sentinella. Non di leggi o tesori, ma di tombe e macerie, se non addirittura di nessuno e di niente...

Ricordo che da bambino, quando giocavamo a guardie e ladri, tutti i ladri e le guardie si trovavano istantaneamente d'accordo nell'assegnarmi la parte di "palo". Poco male, se non si fossero poi altrettanto accordati alle mie spalle d'interrompere la sfida e andarsene a spasso, abbandonandomi ignaro dietro un cantone, con l'orecchio all'erta in attesa d'un nemico inesistente.

Più tardi, la notte d'un Natale di guerra, mi toccò battere i piedi dal freddo, in servizio di picchetto davanti a una polveriera vuota, smessa da anni, come seppi l'indomani dal caporale che mi diede il cambio. Singolare filosofia soldatesca, che pretende ubbidienza a un codice eroico, anche quando sia estinta la realtà che lo aveva dettato!... Pensai allora, io che ho fatto il liceo, a quel famoso piantone di Caterina di Russia, mai più rimosso dalla sua balorda garitta, e mi convinsi che il suo caso era un emblema di me, forse un emblema di tutti...

Ma rientriamo nel seminato. Per riferirvi due ulteriori venture della mia carriera, non imposte dalla forza degli altri, ma cercate, scelte da me: quando fui custode d'un camposanto; quando fui vigilante di faro. Un'incombenza, la prima, più igienica e allegra che non si pensi. Con quello smeraldo d'erba, nelle belle giornate di sole, e la pacifica noia, la lucertolina che occhieggia fiduciosa da uno spacco di lapide, quell'angelo di marmo che indica con tre dita superstiti il cielo... Fu un camposanto di villaggio, dai visitatori rarissimi, che lasciavano la mula legata al cancello, come il cavallo a un piolo i pistoleri del West; quindi puntavano verso un loculo, categorici e cupi, con le braccia ingombre di crisantemi. Andandosene, mi lasciavano una mancia di frutta o verdure, raccomandavano il rinnovo dell'acqua nei vasi, la manutenzione sull'erba. Ignorando che con le ombre io intrattenevo ogni sera commerci più cari e che, meglio di tanti insipidi mazzi, le avrebbe consolate il concerto di mandolino che improvvisavo per loro. Non durò. La mazurka del Migliavacca parve blasfema allo stradino Rinzivillo che s'era appartato per un bisogno dietro la cinta e dai pizzichi delle mie corde si sentì non meno turbato che disturbato. Una denunzia partì, mi sorpresero in flagranza di suono, mi perdonarono, mi sorpresero ancora, fui licenziato, m'accomiatai. Non senza aver rallegrato i defunti, viale per viale, con un'ultima mandolinata.

Col faro ebbi maggiore successo, se lo lasciai fu di mia volontà, per semplice ansietà di cambiare. Si trattava, va da sé, d'un faro disoccupato, eretto gran tempo innanzi a spese d'un consorzio di pescatori, per segnalargli la costa col fuoco mobile della lanterna; un faro inutile, da quando in quel tratto di mare non usciva più fuori nessuna paranza e l'ultimo pescatore era morto. Nemmeno i vaporetti che passavano al largo, ed erano ricchi di radar e diavoli simili, avrebbero più avuto bisogno del nostro tozzo di luce, misere briciole di Pollicino, per ritrovare la via... Sicché mi c'installai con buona pace di tutti e me ne resi padrone, col patto che di tanto in tanto avrei rimesso in esercizio il congegno perché non s'arrugginisse; e riparato le imposte; e, la notte di Ferragosto, giocato a rallegrare i bagnanti, macchiando il chiaro di luna col nascondarello bicolore del mio lampione girevole. Mi piaceva durante l'estate questa missione di spicciolo artificiere, né desideravo col prossimo altra comunione che questa: guardare tutti dall'alto, nella loro animale mansuetudine, e contarli, affacciato all'oblò del mio alloggio, con la fierezza d'essere dentro il mio lampo, io unico, io irraggiungibile...

D'inverno, altra storia. Deserte la spiaggia e le case, m'inventavo spassi drammatici: di uscire la sera sulla galleria anulare, avvolto in un'incerata da uomo di Aran, a trinciar segni con una torcia a mano verso un immaginario ciclone e un più immaginario naufragio. Oppure (più spesso) di scrivere versi da declamare davanti allo specchio:

> Come un guardiano di faro infedele
> dirigo sugli scogli ogni barca che mi cerca,
> rido da solo, strofinandomi le mani...

Sì, scrissi queste e altre parole, e con ciò? Un brigadiere di finanza mi sequestrò il quaderno, quando venne a perquisire, convinto che da lassù io facessi l'occhiolino ai motoscafi dei contrabbandieri. Frugò dappertutto, quelle righe lunghe e corte gli parvero la cifra d'un telegrafo senza fili, in quel nero su bianco intravvide il corpo occulto d'un assai patente reato. Si sbagliava solo a metà.

Oggi eccomi approdato al mio spalto definitivo: un posto di sfasciacarrozze. Qui sono monarca e padreterno sul migliore dei troni possibili. Ci guadagno, anche. Gente viene da tutte le parti a recarmi gratis, col sangue delle vittime ancora fresco sui parafanghi, i rottami di tutti gli scontri. Altri cercano pezzi spaiati, ricambi altrimenti introvabili, sepolti nella ferraglia: un deflettore, uno sportello, uno *spoiler*... Sono felice. Più assai di quella vedetta greca, vi ricordate?, che sul tetto degli Atridi, accosciata al suolo e col capo sollevato fra i gomiti a mo' d'un cane, interrogava le assemblee degli astri e i segreti del loro nascere e tramontare... Oh no, a me non sta appresso, come a lui, la paura. Ho il mio mandolino, io. E se canto, non è per scacciare i fantasmi, ma per chiamarli.

Felice. Non so pronunziare altra parola che questa. Era qui la tana a cui annaspando movevo, qui trova un senso la mia corsa, se è stata una corsa; la mia fuga, se è stata una fuga.

Come vivo? Sobrio di natura, non è un problema. Per il sonno, ho una baracchetta; un pulmino, dopo averne estratto i sedili, mi serve da dispensa, cucina e tinello. Su un cucinino a gas cuocio cibi spartani, che consumo con ironiche cerimonie da Grand Hotel, mimando a vicenda le due parti del cameriere e del suo cliente. Una scenetta da teatro dove ingenuamente mi applaudo o mi faccio le boccacce, prima di ritirarmi nei miei quartieri di notte a gustare in un semplice mazzo di carte i piaceri del solitario. Ne conosco di tutti i tipi; ma mi piace inventarne di nuovi, dove possa meglio dibattermi fra le radiose sequenze dei semi, dall'asso al re, e le oscure sorprese dello spariglio. Ché se anche perdo più spesso di quanto non vinca, ciò non fa che raddoppiare l'estasi metafisica d'avere osato scommettere contro la boria di Dio. Del resto, che c'è di più sedativo, per conciliare il sonno, che covare nel pensiero la speranza d'una rivincita?

Parlare, non parlo con anima viva, tranne un sì o un no ai clienti, e qualche motto all'autista del carro attrezzi, che mi porta ogni lunedì le provviste. Per le residue necessità sfrutto ogni meccanica e chimica che la mia miniera di lamiera e di ferro mi offra. Così, per esempio, nei mesi freddi brucio per combustibile l'olio lubrificante, rimasto in questo o quel motore in disarmo; mentre, contro i disturbi dell'afa, uso una ventola di radiatore, alimentata da una batteria. La luce? Mi viene da un generatore. L'acqua? Da una tanica grande di camion, che ho sistemata sul tetto e che mi funge da serbatoio. Mi sbarbo con un vecchio rasoio a mano, guardandomi nello specchietto retrovisore; per i pisolini cerco un sedile di anziana Lancia Flaminia, che s'acconcia a far da poltrona; con un clacson dico a me stesso ch'è suonato mezzogiorno...

Direte ch'è una vita da Robinson, e sia. Benché io abiti a ridosso dell'autostrada e veda le macchine vive sfrecciare mostruosamente a non più di cento metri da me. Certo non è lo spazio a mancarmi. La radura su cui m'accampo appartiene al Demanio, nacque dall'esproprio d'un fondo, per dar respiro ai lavori di sbancamento. Lo sterro, bruno o gessoso, ammucchiato allora dalle ruspe sul prato, l'ha fatto a poco a poco morire. Battuto da piedi e ruote senza numero, il terreno ha dimenticato le stagioni delle linfe e dei semi, serbandone appena un relitto in tre alberi di fila, simili a tre cariatidi testarde, che resistano in piedi dopo il crollo dell'architrave.

Sono essi, nel mio disegno di città, a rappresentare il Giardino. Io perseguo, difatti, un disegno: di scrivere con gli scheletri d'auto una geometria di città. Non seminandoli dunque a vanvera nel primo spazio vacante, ma disponendoli in ordine e in riga, col teschio rivolto nel verso giusto, sì da simulare edifizi lungo il rettifilo d'un corso o a cerchio tutt'intorno a uno slargo. Già esiste, dell'urbe che sogno, un intreccio di rioni a scacchiera, secondo il modulo ippodameo, con strade già battezzate: via della Simca blu, ronco dell'Alfetta zoppa, *promenade* delle tre Renault... Una piazza sta nascendo, cinta da berline nere, dove al centro s'arriccia, e pare un tumore equestre, la carcassa d'un pulman, che l'urto contorse e un incendio affumò di ustioni lebbrose. Così, senza accorgermene, mediante questi allineati e coperti sepolcri, io son venuto imitando la mappa del mio camposanto rurale di gioventù. Al punto che quasi m'aspetterei che il 2 novembre i proprietari antichi d'ogni veicolo tornassero a visitarlo coi fiori in mano; e che Rinzivillo ancora una volta mi sgridasse di là dal muro, prima di accovacciarsi nel suo bisogno...

Non viene nessuno, si capisce, ma io ugualmente, mentre al canto del gallo passeggio fra le siepi di demolizioni, provo a immaginare dentro ciascun abitacolo le forme di vita che vi aleggiarono un tempo, ascolto sussurri amorosi, ire, moti febbrili o fatui del cuore. Un popolo di trapassati s'aggira da un capo all'altro del mio dominio, un invisibile gregge che mi è devoto e che pascolo a volontà. Con un occhio di riguardo ai pezzi di pregio: la Mercedes d'un assassinato, dal parabrezza cieco di colpi; una carrozza funebre, monumentale, dietro cui si fa fatica a non scorgere un corteo di rulli e gramaglie, cavalli col muso in maschera, pennacchi di corazzieri...

Per questi esemplari ho maggiore riguardo, non manco di dargli, a sera, la buonanotte: "Sono le nove e tutto va bene," mormoro e mi pare quasi di metterli io stesso a letto, di rimboccargli le coperte...

Credetemi, non sono un pazzo, né un principiante della vita. E non è detto che sia io e non voi a sbagliare, se mi ritrovo contento della mia raccolta di cenere, se gusto solo la storia distrutta e le lusinghe dello sfacelo. In verità non c'è cosa, nel mondo di fuori, che non mi sia estranea o nemica: non lo pratico, non lo intendo. Nemmeno alla donna che mi viene ogni tanto dall'Autogrill, chiedo notizie di pace e di guerra, me la sbrigo con gesti tecnici e brevi, la licenzio e torno alla mia lussuria d'essere solo...

Che sarà di me al cimento della vecchiaia? Quando, come un nobile fiume alla foce, m'insabbierò; e sarò diventato io stesso una catastrofe da custodire?

L'avvenire non mi spaventa. Qualunque fine m'aspetti, è sicuro che altrove, dopo la morte, ancora una volta dovrò montare la guardia. So io, ma non lo dico, a quale assenza o inerzia o rovina.

FELICITÀ DEL BAMBINO PUNITO

Lo chiusero in una stanza per una colpa qualunque.

La prima cosa che fa è di chiudersi dentro a sua volta col chiavistello. Non intende correre il rischio di una remissione tardiva, di un'amnistia non voluta. Siano loro, gli altri, a restarsene fuori in castigo, esclusi dalla sua vita, suoi prigionieri senza saperlo...

Sbarra dunque la porta dietro di sé e un'esultanza furiosa gli affretta il sangue; la solitudine gli dà alla testa. È libero, finalmente, il podestà di tutto, il sovrano d'una nazione senza confini. La quale gli è familiare e tuttavia ad ogni ora diversa: come le onde e le nuvole che, se le guardi, si rinnovano sempre...

La esplorerà passo passo, con la prudenza di un'avanguardia; ne censirà la popolazione di arredi e mobili al macero, balocchi smessi, tolette comiche in serbo per le prossime mascherate. Il suo progetto, se può chiamarsi progetto una mozione confusa, è di trasformare lo sgombero dei ricordi in una fiera delle meraviglie.

Ammira il veliero dentro la boccia. Un trealberi in miniatura, dipinto di rosso carminio, con l'anagrafe *Maris Stella* pennellata in nero sulla fiancata; completo di velame in entrambi i quartieri di poppa e di prua; buono ancora a orzare e a poggiare, se solo non fosse costretto in secca entro questo tranello di vetro, dopo tanta guerra di turbini... Il bambino misura col dito l'angustia dell'orifizio, la confronta attonito con la mole del bastimento e si sente il pensiero fuggire fra le dita come una sabbia.

Più in là è l'antico specchio a turbarlo, chiazzato di ruggine, sul quale s'affaccia a guardarsi. L'ovale, nella cornice di pampini, gli rimanda una fievole mescolanza di colori, il celeste della blusa, il pallore della fronte, l'avvampo delle labbra. E due occhi vi si spaventano, che una vicenda di palpebre ora ricopre ora svela.

"Io," dice il bambino e si tocca, comincia a toccarsi in ogni punto del corpo, si ribattezza. "Fronte," dice. "Occhi," sorride. "Naso," ride. Non ha fatto in tempo a saziarsi del gioco che già butta sullo specchio una pezza di stoffa a fiori e gli pare, accecandolo, d'essersi ucciso.

Che farà ora, dove lo dirige l'adorabile perplessità del suo passo?

Il primo viaggio è alla cassapanca del padre, com'è rimasta dopo che partì. Il bambino vi tuffa la mano a caso, ne cava la grande stampa delle grotte di Postumia, col turista minuscolo che s'aggira fra i pinnacoli e porta in mano una lampada da minatore.

Risfoglia i libri soliti, *Col ferro e col fuoco*, *La bella argentiera*, *Il mistero del poeta*... Su un quarto indugia, tentato. Sa che non deve aprirlo, ma lo trattiene chiuso fra le mani, ne carezza la copertina...

Un capriccio lo chiama altrove. Procede. Ritrova a terra, con le ante ripiegate come ali, il paravento di giornali incollati ch'era nella camera di sua sorella. Lo riapre, lo rimette in piedi a fatica, vi si nasconde dietro, non sa bene da chi. Attraverso uno strappo della carta l'occhio cerca senza trovarlo un persecutore o una preda che non esiste.

Non si scoraggia, per quel che rammenta gli è sempre piaciuto spiare. Gli torna nella memoria un'estate, nella casa di campagna vicino al fiume, e il silenzio meridiano sotto il gelso pieno d'uccelli. Che non facevano rumore nemmeno loro, fulminati dalla calura. Più tardi, a sera fonda, sollevandosi a metà dal guanciale, avrebbe origliato i discorsi di suo padre e di sua madre, che parlavano di lui nella camera accanto. Suo padre lo vantava a sua madre: diceva di una sposa regina, un giorno, e di terreni sott'acqua, e di un'immensa futura fortuna e sapienza e salute... La madre rispondeva di sì, e che sarebbe uscita il giorno di Pasqua a braccio della nuora regina, e tutti si sarebbero voltati a guardare...

Eccolo qui, il binocolo che fu l'estasi di una strenna dimenticata. Lo riaccomoda sull'occhio, lo manovra, ma dei bersagli vicini non s'accontenta. S'arrampica su una seggiola, finché la vista gli sporga oltre l'orlo del lucernario. L'oculare gli mostra un cielo già quasi di sera; laggiù la pianura, quel prato d'erba dove bruca un cavallo bianco; qui il paese, coi tetti, i fumaioli, il gesto quieto dei campanili verso la luna che nasce. Com'è maiuscolo un campanile attraverso una lente; e come s'impicciolisce se si gira il binocolo all'incontrario. Strana cosa, e meravigliosa, che niente al mondo persista in una dimensione assoluta; che tutto possa decrescere e crescere a piacimento, secondo il verso d'un cannocchiale... Strana cosa, altresì, e meravigliosa, che una goletta possa passare per la cruna d'una bottiglia... Mentre, chissà quanto pare grande a una mosca la mano che s'avventa a schiacciarla sul davanzale; come pare sterminata a una formica l'ombra della scarpa che la minaccia...

Il bambino si sente vecchio in un mondo incommensurabile, teatro di forme e di età che s'accorciano e s'allungano senza ragione, e nel quale adulti e bambini non fanno che scambiarsi anni e parti. Moriranno gli uni e gli altri, alla fine, vestiti di nero, com'è morto suo padre, or è un anno.

Si sente vecchio, il bambino, eppure strabiliato e lieto di essere vivo. Lo attrae sull'intonaco una macchia scura: d'un ragno rattrappito, ucciso da un antico freddo, che si sfarina sotto il suo pollice. Da un cassetto socchiuso lo chiama un mazzo di carte paesane, due ne sceglie e ne sposa a comporre il trofeo d'oro d'un settebello. Scopre nel secchio bucato una fune di pozzo che vi lasciarono. Gioca un istante a impiccarsi, ma il nodo scorsoio gli si scioglie allegramente nel pugno. Gioca a bendarsi con un fazzoletto, a fingersi padrone di tappeti che volano, nostromo d'isole erranti, palombaro di pietre filosofali...

Non sa se con se stesso sta intrecciando una tresca o una sfida.

Torna allo specchio, lo riporta alla luce, lo appoggia dove la luce è migliore. Con mani brusche si spoglia, lascia piovere gli abiti in cerchio attorno ai piedi scalzati, rimane nudo, inerme, sparuto davanti al cristallo: a mirarsi, a toccarsi, a ribattezzarsi ancora una volta. Serio, stavolta, e con un cipiglio di eroica risolutezza. Si palpa le scapole, si conta le costole del poco torace, interroga col dito gli esangui bottoncini delle mammelle, l'incavo secco del ventre, il misterioso ombelico. Con improvviso spavento la mano gli corre a conoscere quella serpicina languida fra le gambe, il rosa del glande sbucciato...

È lui, o chi altri, che ha tolto il lucchetto? O come sono entrati tanti sciami di re magi, giocolieri, musicanti? Crepitano salamandre in un braciere di vampe, esitano su una cresta in bilico ricci di spuma, poi traboccano, piombano in tondo nel gorgo. L'allodola levata a volo già non si vede più...

Ora sette fanciulle da Saba gli portano l'Orsa Maggiore. Con loro Arlecchino, a dosso di mula, chitarre, conchiglie, un ventaglio...

Infine sua madre venne e lo chiamava dietro la porta.

LA BELLEZZA DELL'UNIVERSO

Fu su un'altalena, il giorno in cui compì quarantasei anni, che Severino Paceco comprese la bellezza dell'universo. S'era levato di buon'ora, nella villa nobilesca dove stava a servizio in conto d'istitutore, e mentre misurava a lenti passi il giardino aspettando la campanella della colazione, gli avvenne di scorgere, con confidente sorpresa, la nuovissima altalena che il padrone di casa aveva legato per due canapi a un ramo e che la brezza muoveva.

Mai aveva fatto esperimento di un veicolo tanto evasivo, né del resto gli era mai piaciuto, sin da bambino, cimentarsi nelle giostre e le saltimpendole; tanto meno, con la mano chiusa sul filo, condividere per la campagna i capricci di un aquilone. Severino era un uomo estatico e casalingo, odoroso di cartasuga e d'inchiostro, le cui membra sembravano tanto nativamente aver sposato una scranna quanto il trono quelle di un re. Tuttavia questa volta l'altalena seppe tentarlo: tremula, lusinghiera, una cavallina in fregola di galoppate. Detto fatto le s'accostò, tentò col dito le sponde del palanchino, lo spinse a oscillare più largo. Lo sguardo che volse attorno, sospettoso, non gli svelò presenze o indizi di vita, tranne all'orizzonte il punto fermo d'una barca d'altura e, a due passi, un innocuo pavone, emerso dalle retrovie della casa in tutta la boria della sua ruota. Non gli occorse di più per sbarazzarsi del tricorno, rimboccarsi le code della marsina e, con uno slancio di cui non si sarebbe mai fatto credito, balzare sopra la macchina a dondolarsi.

Era agosto. Mosche azzurre, o piuttosto calabroni carnosi, gli ronzavano tutt'intorno. Severino rideva da solo.

Su e giù l'altalena lo portava. Lui aveva impugnato forte le funi, come le briglie disperate di un palio o le lenzuola di un'evasione. Ma intanto che, spellandosi duramente le palme e rischiando la capovolta, imprimeva col corpo al carosello un moto sempre più temerario – non senza perciò mancar di rapire al cielo e alla terra il massimo che la sua vista poteva – il sangue, frastornato dall'insolita festa, gli corse su per il capo e lo costrinse a una tregua. Fu allora che, discesa la navicella a impulsi più miti, di culla o d'amaca, Severino cominciò a sentirsi in preda a un subitaneo languore e confusamente commosso dalla bellezza di tutte le cose. Né questo sentimento si restrinse a stagnargli quieto nell'intimo, ma, a somiglianza d'un mosto che fermenti nel tino, gli gorgogliò sulle labbra in schiumosa mareggiata di suoni, indi gliele aprì fino a farsi dirotto cantico e osanna.

"O cielo!" intonò dunque a percettibile voce. "Sei bello. Arcibello. Tu e le tue nuvole, le quali non si capisce che simulacri siano, e di che. Se cifre geroglifiche e pedagogiche; o crolli d'alti castelli; o rassegne di flotte regali; o processioni di sogni... Fino a quando un mattino, oggi per esempio, un vento le disfa, una calura le squaglia, e tu ridivieni di colpo questo schietto cristallo di rocca, questo duro orbe di blu, la pupilla d'un guercio, onniveggente dio..." Soffiò via con dolcezza il granello di forfora che gli era cascato sull'omero e proseguì: "Come vorrei, insondabile cielo, starmene a guardia di te, per il tempo che m'avanza! Da una garitta di torre, con la sola compagnia d'un bicchiere d'acqua e d'un pane. Per capire se sei smeraldo senza peccato o perla scaramazza, viscere del tutto o fauce del niente... Di cui si dice che non hai confini, ma altri dice che t'incurvi e avvolgi a morderti la fiammeggiante coda... E inanelli lune con soli, e intrecci albe e tramonti, saetti zig zag di fulmini entro il fogliame delle galassie... Serpente cielo. Albero cielo. Giusto, arcano, bellissimo, arcibellissimo cielo!"

Non s'era accorto, Severino, che una ragazza era sopraggiunta quatta fra gli alberi e lo spiava, sebbene con occhi ancora miopi di sonno: scalza, vestita d'un tenue sottanino che le scopriva alquanto le gambe, ma sormontata dal grano incredibile dei suoi capelli, d'un colore più giallo che biondo. Una ragazza di nome Rosina, pupilla in casa dello zio nobile, cresciutavi selvatica e pigra, nonostante lo zelo di quello di volerla tirar su con più industria che se fosse stata sua figlia. Deputato dopo molti, Severino, a dirozzarla, celebre nel circondario per dottrina e autorità, non era valso meglio degli altri ad accattivarsi l'attenzione della scolara. Fino a tal punto qualunque minuzia bastava a rubarle il cuore: barbaglio di sole ai vetri, profumo d'acqua nanfa in un vaso, *do re mi* di spinetta lontana...

Lui aveva un bel predicare di accidenti e quiddità; e coniugare nasali verbi incoativi; e raccontare, per disperazione, taluna favola antica. Non senza turbamento, le volte che l'una o l'altra scostumatezza di Giove suscitava interpellanze che lo mettevano in croce; stupefatto, oltretutto, dal ginocchio straniero che sotto il tavolo arditamente cercava il suo. Poiché Rosina s'era fatto un punto d'onore di rattizzargli, se mai ne durasse nei quartieri d'inverno qualche vestigio, il focherello dei sensi. Per mettere, come suol dirsi, l'aio nell'imbarazzo, restandosene lei protetta da quell'appiombo d'indifferenza a cui faceva ricorso nei momenti più perigliosi, inarcando un solo ironico sopracciglio e distraendo con la lunga unghia del mignolo la ciocca di spighe d'oro che le schiaffeggiava la guancia...

Eccola ora dunque, la mattiniera ragazza, acquattata nel verde dei bussi, tutta orecchi, finalmente, all'ascolto di Severino: dapprima per spontanea indiscrezione muliebre, e con l'usuale proposito di gabbare il pedante; indi compresa dallo stupore, e non solo stupore ma inesplicabile gioia, di origliare tante astruse e suasive sublimità. Quanto a Paceco, s'era così espanso oramai, e con tale estro di inediti spiriti, nel catalogo e panegirico dell'intero mondo creato, che non s'accorse di lei, ma ridiede spinta ai volteggi, volubilmente, ora variandoli dall'adagio al brio, ora dimettendoli sino a una monotonia di metronomo. Di guisa che fra le frasche i suoi saliscendi parevano tener bordone al solfeggio delle parole. Seppure non era vero il contrario: che fosse l'eloquenza ad assecondare, commentandolo, il movimento.

"Tu, mare!" ricominciò l'uomo l'arringa. Né potendo con le mani che teneva aggrappate alle funi, indicò col mento il rigo azzurro oltre la siepe. "Tu, mare, innumerevole lingua. Che ti conformi a lambire le più picciole rientranze di scoglio non meno che i golfi amplissimi dei continenti. E ora fiotti, lusinghevole e blando, ora ruggisci con tutte le buccine e le cornette del finimondo. Cupolone di umida tenebra sulla fronte dell'affogato; compiacente grembo all'ingresso del cimentoso bagnante... Mare, che devo dirti, se non che selvaggio m'affascini e tenero m'innamori? E che ogni volta mi sembra, mirandoti, che niente, meglio del tuo essere e non essere e riessere, somigli alla natura di Dio?..."

Chissà cosa avrebbe detto ancora del fuoco e della terra, e dei minerali, vegetali e animali che l'abitano, e delle stagioni che la vestono e svestono... e della grandezza dell'uomo, e del suo gusto, odorato, udito e tatto; e vista, soprattutto, per riconoscere le dissipate meraviglie che covano dentro la luce. E come l'uomo ride e piange, dorme e si sveglia. E ricorda... I sentimenti di lui avrebbe recensito, Paceco, senza numero e stupendi nelle loro chimiche d'oro. E avrebbe discorso dei cristalli e dei coralli, della lava e dell'acqua. E come s'arrugginisce una foglia caduta o trema un germoglio sul melo; e come odora il fieno tagliato dopo la pioggia. Le pietre preziose, le catene dei monti; il passo dei pachidermi e il battito d'ali della falena; e il tempo, la bellezza, la morte... Chissà cosa avrebbe cantato ancora e lodato, Severino Paceco, se, sbucando dalla siepe, al modo di chi temerario affronta la bizzarria d'un quadrupede, la ragazza non gli si fosse parata incontro, cogliendo il tempo a smorzare, indi interrompere gli andirivieni dell'altalena. Riuscendoci, sì, ma non tanto che il buonuomo non finisse fra le sue braccia, compreso e cinto, in una confusione di scomposti lini e aromi d'alito giovane e tiepidezza di carne levata appena dal letto. Il misero si schermì come poté, ansante per le recenti dinamiche, ma più ancora accalorato dalla flagranza fanciullesca in cui s'era lasciato cogliere dalla ragazza e dalla prossimità di lei, che gli restava addosso, ammutolita d'improvviso e fatta come balorda. Coi piedi nudi affondati entro la guazza, discinta nei radi veli notturni, Rosina restava ritta, abbracciata a lui, facendogli un poco schermo contro l'oriente. Donde il sole, ch'era venuto a sorgere ma s'attardava con cautela di congiurato dietro il ciglione d'una collina, si smascherò di colpo, si sparpagliò, come un tuorlo d'uovo si rompe, per tutti i raggi della rosa dei venti, clamorosamente invadendo ciascuna grandezza o inezia presente nella pianura. Fra cui i capelli di lei.

È ragionevole supporre che quello, per Severino, fosse il primo bacio della sua vita. Né il sapore, sulle prime, fu tale da piacergli moltissimo, inabile lui quanto lei a scansare i reciproci nasi e a suggere nel modo giusto labbro con labbro. E forse si sarebbe ritratto con le vampe al viso, non meno deluso che spaventato, se Rosina non lo avesse spinto a forza giù dall'arcione e indotto a cadere insieme nell'erba. A far che non sapevano né l'uno né l'altra, salvo che dalla ragazza all'uomo un elettrico parve trascorrere e farsi urgenza lungo le vene; quindi, non altrimenti che in una sfida d'echi, ritrasmettersi a lei moltiplicato e rovente. Insegnandogli, a entrambi, un'improvvisa destrezza di gesti, febbrili a strappar bottoni dall'asole, a scignere panni di dosso, finché, non meno maiuscolo lui che maldestro, incombesse e ruinasse sopra e dentro le membra di lei.

Ahimè, farfarella Rosina! Dove sono i pettini lievi, dove il cinto che ti cingeva, che nembo ti si porta via? O che sfacelo è questo che t'abbuia le pupille, mentre un serpe di piangente piacere torna adagio a crescerti dentro, là sotto l'ombrello di foglie dove sei rotolata con lui? Ricca morte è codesto tuo morire e rimorendo rivivere, codesta tua perversa delizia di non vincere per altro che per soccombere un'altra volta! E invano ti percuote la luce la nuca con un grappolo di fiori; il tempo fra le tue ciglia è un cumulo di sabbia che lentamente frana...

Ma Severino? Che succede a Severino? Pigiato da zoccoli strani, gli pare di star viaggiando in un sotterra infinito. E che dal sommerso eliso oda uccelli gremirgli a volo le tempie, il loro strido involarsi nel vento come un remoto hallalì. Capisce ora cos'era che gli mancava, nella sua rubrica della bellezza del mondo: il miele d'un respiro d'Eva che si mischiasse col suo, e una bianca mollica di seni sotto le dita, e una grotta in lei dove farsi uno con lei, con lo stesso unanime battito, sullo stesso talamo d'ombre...

Capisce, e sa che d'ora innanzi tutto gli sarà più chiaro, più quieto, più...

Non udirono la campanella che li chiamava; né, dopo, le voci dei servi, i latrati dei cerniechi alla cerca; né il rimbombo vicino dei passi attorno al grande castagno. Nor videro don Gualtiero scostare la cortina di fronde con una mano, e nell'altra aveva una spada.

IL VECCHIO E L'ALBERO

Quel giugno non gli parve all'inizio diverso dagli altri, moltissimi, che aveva vissuti, ma il vecchio capì subito ch'era un mese posticcio, forestiero, portatore di misteriosi e malefici sensi. Non sarebbe stato semplice farglisi amico, non è mai semplice fare amicizia con le stagioni, si ha l'impressione che camminino sempre contromano, che le loro flemme o smanie facciano apposta a contraddire le nostre, voglio dire del nostro sentimento e della nostra mente. Soprattutto se si è vecchi, e si vive soli in campagna, in una casa troppo grande, e non si può parlare ad altri che a quella solita e solitaria lucertola. Allora si patisce la prepotenza delle meteore, l'accordo col tempo si rompe come un macigno inzuppato d'aceto e sale...

Dunque il vecchio si sentì d'improvviso il cuore stanco, un cuore di più d'ottant'anni, e non volle restare in casa, si mise il fucile a tracolla e se ne andò a passeggiare nei campi.

Che avrebbe fatto, non sapeva. Era come se gli avessero bendata la fronte con un intreccio di spine. Guardava il sole: d'un rosso sforzato, da tintoria, grondante di sughi marci, di sanguinazioni cattive. Gli uccelli stessi parevano averne paura, s'erano nascosti a terra, fra l'erba, lontano dal cielo. Dietro la vigna il fiume, su cui la scarpata protendeva tralci improduttivi e bastardi, s'era tanto risecchito da ridursi a un filo fra due argini di canne sparute. Gli sarebbe bastato un salto breve per andare di là, ma non lo fece, gli venne più naturale curvarsi su una pozzanghera – ce n'erano tante – dove l'acqua s'intorpidiva fra ciottoli e ghiaia.

Vide, intravvide una faccia. Non era la sua, la cancellò con la scarpa, non era il caso di crederla vera, era la faccia di un traditore. Indugiò ad accusarsi con questa parola, si assolse: erano stati gli anni a tradire, non lui. Erano stati essi a falsificargliela, quella faccia, a gremirgliela di grinze e di bozze. Quanti aratri c'erano voluti, di luce e sole, pioggia e vento; quanti erpici di crucci, disinganni, veglie; quanta vita era occorsa per costruire quell'effige da ripudiare, quella maschera di chissà chi. Si toccò con la mano la fronte, la sentì come un osso nudo, la pellicola della pelle pareva vicina a strapparsi tanto era tesa. Un osso, e dietro l'osso un cemento – il medico aveva detto così – un cemento che stringeva, strangolava le arterie della memoria...

Per favore un ricordo, implorò, uno solo. E subito a tentoni miracolosamente lo ritrovò, un ricordo remoto, di quello stesso luogo e di sé bambino, quando gli piaceva mettere in acqua flotte di fuscelli e seguirne dalla sponda la gara attraverso vortici, agguati di sirti, cascate...

Ancora oggi il terreno appariva sparso di festuche e frantumi di legno. Quelli che scelse e buttò nel rigagnolo si avviarono però stavolta con una pigrizia crudele, non dovette allungare il passo per starci a paro. La vittoria del più povero, una scheggia di stecco tarlato, gli strappò un consenso confuso, un gorgoglio a metà fra la tosse e la risata.

Quando si calmò, furono i suoi piedi, istintivamente, a voler giocare un altro gioco antico, si misero a girare in tondo attorno ad una chitarra sfondata in secco sul greto. Poi la sua voce disse "Sì" e gli venne come da piangere.

Non pianse, non c'era ragione, e lo sapeva. Eppure qualcosa di molto infelice gli stava accadendo. Che cosa, lo avrebbe capito forse domani. O forse no, non lo avrebbe capito più. Ora sentiva il bisogno di vivere la giornata così: accarezzando la propria infelicità, aspettando che passasse, come una bua di bambino. E avrebbe lasciato intatto il pane nel tascapane, non avrebbe dormito, non avrebbe rivolto la parola a nessuno. Con lo stesso broncio orgoglioso d'un bambino in castigo. O non erano i cavalieri a digiunare nelle veglie d'arme di cui parlano i libri? I cavalieri oppure i santi? Oppure solo chi sta per morire? Non seppe decidere, i suoi pensieri erano stanchi, confondevano desideri e memorie, era come se lo spazio minimo e volatile del presente ospitasse una ridda di tanti ieri e domani, un mulinello ch'era impossibile districare... Molte ore erano state, altre sarebbero state, ma lui non distingueva più l'avvenuto dal venturo, le sue dita non trovavano che aria quando s'avanzavano a palpare la nuvola dell'esistenza. I digiuni depurano la carne, la smagriscono dei mali umori, aveva letto una volta. E invece a lui pareva di commettere un'infrazione senza perdono, tutto gli diveniva peccato, perfino il suo nome (provò a chiamarlo) suonava un suono agro di colpa, di confessione viziosa mormorata alla grata di Dio.

Guardò il fucile, lo aveva appoggiato ad un cippo di confine con le due canne in su, nere: le due occhiaie d'un cieco maligno. Fece la verifica delle distanze, anche questo era un gioco di allora, l'aveva fatto tante volte con lo schioppo del campiere, mill'anni addietro. Bastava sedersi a terra, introdursi in bocca l'orifizio dell'arma, provare se l'indice e il pollice destro pendessero alla spanna giusta, all'altezza del grilletto...

Fu a questo punto che vide l'albero: un grande noce bruciato e solitario sopra una balza. Erano settimane, ormai, che nella campagna fuochi ardevano, appiccati da mani misteriose. Così ora quest'albero stava freddo e grande sopra una balza. Il tronco, d'un color minerale, gli rammentò i muraglioni di lava scorti nell'infanzia dal finestrino, mentre lo portavano a Catania, a vedere morire suo padre, ch'erano grigi e spenti altrettanto, e apparivano, sparivano in un baleno, secondo che il treno sbucasse o s'imbucasse nel tunnel.

S'avvicinò. Il noce resisteva ancora in piedi, affumicato, irto di cicatrici e nodi come un samurai moribondo; ma le radici apparivano misere, sciolte, penzolavano a mo' di visceri nell'imbuto di terra dove l'incendio aveva scalzato più a fondo. Non c'era germoglio, non c'era segno che da quel seccume potesse un giorno avventarsi una forza, l'albero non era più resistente di uno scheletro cappuccino nel loculo della sua cripta.

Il vecchio esitò un poco, poi si mosse, s'inginocchiò a scavare con le mani, si riempì le mani d'una zolla bruna, l'accomodò a rassodare la frana attorno alle barbe inerti, ripeteva i gesti di un'inumazione pietosa.

Com'era bruna, come gli piaceva toccarla, la terra! La terra ciba gli alberi, li cova nel suo buio come figli. Anche le bestie, aiuta. Le ingrassa di vermi, le ricovera in letargo. Nutriente e ricca terra! È giusto che a te si deleghi il nostro relitto supremo, il nostro ghiacciato, ossuto niente finale...

Tornò a toccarsi la fronte con mani che tremavano. La pelle era così sottile sull'osso, ci sarebbe voluto pochissimo perché l'osso se ne spogliasse: fra un mese sarò solo un po' d'osso, pensò, fra un anno polvere e niente più. Un uccello precipitoso gli sfiorò la guancia, si perse fra le fronde, riemerse dal fondo d'un cratere incarbonito. Non si mosse, palpitò appena, quando lui lo coprì con la mano, ed era una mano sdrucita come la scorza dell'albero. Chissà che uccello era, non somigliava a nessuno di quelli che conosceva e cacciava. Chissà da dove veniva, dove andava. Il vecchio aprì la mano: l'uccello rimase immobile un po', poi battè l'ali, entrò in un raggio, in un momento non si vide più.

Anche il sole scomparve, si nascose dietro una nuvola. E che pace, allora, inaspettatamente, che silenzio. Il vecchio si rimise in ginocchio, cinse il tronco con entrambe le braccia, premette su una ruga le labbra chiuse come se pretendesse baciarvi una speranza di foglia.

Quando riprese il fucile e s'incamminò verso casa, il suo passo era il quieto passo d'un re. Se una pietra gli sbarrava il cammino, caduta da un muro, si curvava a raccoglierla, la rimetteva nel suo alveolo con mani lievi. E cantava frattanto a bassa voce un alleluia senza parole.

DOSSIER LO CICERO
Frammento

Relazione del dottor Fritz Bernasconi

Nell'esibire all'attenzione di questa assise di esperti e medici dell'anima le carte segrete del fu Serafino Lo Cicero, già mio paziente, non so tacere un'esitazione. Innanzi tutto per la loro qualità di fantasia e di farnetico, come poteva aspettarsi da un favolista di professione e gabbamondo naturale; poi perché di tanti sfoghi, soliloqui e sproloqui essendo io che vi parlo, mio malgrado e a mia insaputa, il destinatario e il bersaglio, ne temevo non senza ragione qualche pregiudizio all'intimità della mia vita e alla mia gravità di studioso. Al punto che son stato a più riprese tentato, lor signori capiranno presto perché, di espungere qua un rigo là un altro, dove più rozzamente sentivo calunniate le mie intenzioni o mi venivano addebitate parole mai dette o pensate. Senonché ebbe a prevalere, com'è naturale, la missione del dotto e lo scrupolo della verità, con l'idea che nessun frustolo del documento dovesse venirvi sottratto, benché io dubiti forte che si possa cavare da una tale salsapariglia, come altre volte da diari e scritture di malati di nervi s'è fatto fruttuosamente, una diagnosi qualsivoglia. Alla quale, tuttavia, se mai si perverrà, non penso sia per essere col sussidio di questo solo reperto; bensì delle note anamnestiche e cliniche redatte durante la cura; oltre che delle notizie d'ordine umano che nella misura più larga e fedele sono qui a comunicarvi, riguardo all'infermo e ad ogni sua passione durante i mesi (sei) che l'ebbi ospite presso il "Robert Walser", nelle Valli dei Grigioni.

M'apparve, il detto Lo Cicero, quando lo vidi la prima volta nel mio studio, il 7 settembre del 1956, di soda complessione, ancorché stranito nel viso e come ammaccato, con occhi ovoidali, di cui non si riusciva a scorgere quasi che l'albume, nei radi istanti in cui un tic non li faceva sbattere e aggrottarsi fino a sparire; claudicante, mi riferì, per un incidente grave, a Roma, attraversando un trivio, lui pedone, col naso in aria all'inseguimento di una nuvola strana; scrittore di molti scritti di vario umore, tutti a me ignoti; vedovo senza figli, convivente per lunghi anni, ma ora diviso, di una pittrice ciociara; nevrastenico dall'infanzia; inetto a dormire più di tre ore la notte; pressione alta; un diabete misterioso, volatile; satiriasi ad accessi, seguita da mortificanti torpori; 50 anni; due tre conati di suicidio senza motivo, per impulso irrefrenabile, ma sempre andati a male per lampante inettitudine, se non dolosa (ipse dixit) incuria dell'aspirante. Veniva quassù attratto, bontà sua, dal mio nome, e per essere io ticinese, quando lui era del tutto incapace di parlare altra lingua che l'italiano. Intendeva, col mio aiuto, rappattumarsi in qualche modo con sé. Soldi, ora che di due suoi romanzi facevano film, ne aveva molti; pazienza meno, ma abbastanza per sopportare i miei metodi, di cui aveva letto su un Corriere di psiconeurologia.

Prescrissi le analisi d'uso e lo allogai in una stanza singola del primo piano, con vista sull'abetaia, concedendogli sin dal principio, come da sua reiterata richiesta, di continuare a scrivere a suo piacere. In quanto al leggere, senza esplicitamente vietarglielo, gli consigliai moderazione e soffici scelte, di classici e comunque di autori felici, come ne abbondavano, tradotti nella sua lingua, presso la biblioteca nostra e mia personale. Dalle analisi, tranne un'antica affezione venerea inattiva, causa antica però, temo, dei suoi disturbi, nulla d'importante s'evinse. Solo fu l'elettrocardiogramma a darmi pensiero, per una T in caduta verticale, di cui egli disse sorridendo (aveva un sorriso dolcissimo) che copiava la curva cadente delle sue erezioni. Questo fu motivo di scherzo quando giorni dopo, a un ulteriore controllo, l'onda apparve positiva e di tracciato armonioso, come in un indenne cuore sportivo. Ebbi in quell'occasione a concludere che, pur essendo per metà il suo male d'origine organica, era certo per l'altra metà volontario e mentale, e quindi abbastanza aggredibile, col solo patto d'una sua risoluta alleanza con me. A questo punto egli compì la sua prima stranezza, non opponendo parola ma offrendomi soltanto, col palmo in su, le due mani da guardare: umide, pallide, ghiacciate, come d'uno prossimo alle convulsioni. Avendogli io chiesto cosa mai volesse dire con ciò, inopinatamente mi chiese se non vedevo le stimmate, poi, senza aspettare risposta, estrasse di tasca un calepino e su un foglio scrisse, non so se improvvisando o traendoseli dalla memoria, versetti di osceno tenore, che meno la decenza che la noia mi impedisce di ripetere: goliardiche filastrocche, di assai dubbia rilevanza diagnostica, disponibili comunque in fotocopia (allegato A) in calce al fascicolo che è stato or ora distribuito a ciascuno. Pretese infine di tornare nella sua stanza e volle carta molta, più l'occorrente per scrivere. L'indomani, dopo la stravaganza testé descritta, il suo contegno era già mutato. Fece in poche ore amicizia con tutti, portantini, assistenti, infermiere. Con una di queste, Gretchen, azzardò galanterie di delicato e tenero gusto, tanto da imbambolare un poco, mi parve, la ragazzotta. A me si profferse come benevola cavia, volendo, mi disse, o sanare o ammalarsi del tutto, senza più tiremmolla fra maldimare e bonaccia.

Da quel giorno ebbero inizio le sedute di indagine profonda, delle quali non starò a riportare i particolari, tutti minutamente descritti negli allegati B e C. Fu in uno di questi incontri che mi venne di suggerirgli (ma in forma più di celia e di ricreazione che d'altro) di scrivere, lui scrittore tanto interiore, un poliziesco d'azione, se mai potesse, chissà, canalizzare in innocui omicidi di carta le ricorrenti spinte suicide. Mi rispose che avrebbe provato, ma che, nel caso suo, gli pareva più salutifero sfogare su taluna simbolica pupa e personaggia l'astio suo di innamorato ingannato e disingannato. Fu l'unico accenno che dedicò alle sue private peripezie sentimentali; dal momento che nel corso delle giornate di cui ho già detto non vi aveva fatto cenno di sorta.

Quanto all'andamento e ai risultati delle sedute, confesserò senza infingimenti che si fece beffe di me sin dal principio, gabellandomi per casi suoi d'infanzia e di giovinezza esperienze di eroi tragici e romanzeschi, di cui io, in parte per averne fatto lettura remota, in parte per disarmo fiducioso della mente, non sospettai la falsificata natura. Fino al giorno in cui una troppo evidente similitudine fra un suo turbamento di collegio e le avventure del giovane Törless non m'aprì gli occhi. Né mi valse fingere d'aver capito tutto da molto prima e di avergli lasciato libertà d'impostura per scoprire eventuali meccanismi identificatori. Sogghignando mi oppose d'aver scelto i testi non pungolato dalle urgenze dell'inconscio, bensì secondo l'ordine alfabetico, da Amleto a Zeno, d'un dizionario dei personaggi. Da allora mi vidi con lui solamente per chiacchiere abbandonate, senza limiti d'orario o d'argomento, per lo più coagulate però su due temi: la donna e la morte.

Era giunto frattanto gennaio, e lui senza farmi leggere un rigo, scriveva e sembrava contento di quel che scriveva. Mi disse una volta che contava nel giro di pochi mesi di prendere con una fava sola ben tre piccioni, e cioè vendicarsi, guarire e, da pontefice massimo e severo del romanzo, consacrarsene eversore sublime. Queste parole un po' mi preoccuparono, in effetti una certa vanagloria e mania di grandezza lo andava occupando. Di uccidersi aveva tentato due volte ancora, ma quasi per onore di firma, in modo più maldestro del solito: introducendo un dito in una presa elettrica di voltaggio minore, insufficiente a tramortire una mosca; e legando a una trave uno slentato cappio di spago, dove introdusse il capo un secondo prima che Gretchen venisse a portargli il puntualissimo tè delle cinque. Bambinate, di cui fu il primo a sorridere. Più serio sintomo mi parve un recente atteggiarsi superbo nel camminare e guardare; il proclamarsi ogni momento grandissimo uomo, nuovo Lucifero, Cristo e Socrate in terra; e il portarsi dietro sempre, tenendolo fin nel sonno abbracciato a sé, lo scartafaccio del libro che andava scrivendo. I capelli, dopo un po', gli eran venuti bianchi, con qualche striscia giallina, come se avessero perduto tintura; strascicava a giornate la gamba, benché mi occorse una volta di vedergli stentare la destra al posto dell'abituale sinistra, e ne restai sconcertato. Già da tempo, comunque, avevo smesso di occuparmi specialmente di lui. Refrattario ad ogni aiuto, ormai, ma tranquillo, un pensionante. Rifiutava ogni terapia, che non fosse l'iniezione serale blandamente sedativa. Mi dava il dubbio talvolta che stesse meglio di me e recitasse quelle paure e prosopopee al solo scopo di figurare malato, e potersi carezzare tale; o addirittura che si fosse introdotto da me con inganno al fine di studiare dal vivo una comunità di alienati e di labili per farsene modelli d'un suo narrare. Quando scomparve una mattina, confesso che fu più la curiosità che l'allarme a turbarmi, sebbene una partenza senza bagagli non fosse tale da esser presa alla leggera. La notizia, dopo tre giorni, della sua morte sulle strisce pedonali del largo di Santa Susanna, ad opera d'un'autambulanza diretta di corsa al "Gemelli", non poté allora che parermi un ironico e più che ambiguo suggello d'una vita tanto spaiata, potendo esser giudicato a volontà l'esito d'un fortuito accidente o anche d'un cosciente e macchinato sacrifizio di sé o anche d'una finzione fatalmente e disgraziatamente voltasi al tragico.

Fu dunque con ansia, tremore e un vago rimorso che mi decisi a sfogliare il manoscritto rinvenuto dopo la fuga sotto la branda della stanza che occupava, in una cartella di falsa pelle, e che, prima di leggerlo, vi descrivo nella sua esteriore corposità.

Consta, il plico, di 117 fogli grandi, numerati e sciolti, scritti a mano con una grossa matita bicolore da correzione, la calligrafia è impetuosa, quasi insolente. Prevale, fra i due colori, di gran lunga il blu, salvo che per poche frasi e parole, più raramente pagine di senso compiuto, che, in rosso, rompono di tanto in tanto il monologo, e son da intendere, credo, come frantumi di un romanzo o non so cosa, che sia stato castrato, se non cancellato quasi del tutto e con tanta cura da impedirne in qualunque modo la restaurazione; lasciandone sopravvivere apposta, per intrigare il lettore, quelle sparse e confuse minuzie. Quanto al già detto discorso in blu, sia pure convulso e franto, pare avere un suo andamento coerente. Rivolto, lo confesso con imbarazzo e amarezza, a chi vi parla, ma sempre in tono ora di supplica irosa, ora di perorazione e bestemmia; e sempre con una punta di indiscreto, se proprio non s'abbia da dir di schernevole. Al punto che fui tentato, l'ho già ammesso, di espungere qua un rigo là un altro a tutela della mia intimità calunniata, o dovrei dire onore. Senonché, ripeto, ebbe più forza ogni volta la lealtà dello studioso e l'amore di verità. Per quanto qui, sulla soglia della lettura, due cose ho il diritto, gridando, di mettere in chiaro. E non sarebbero queste soltanto, ma queste m'importano più: non esser vero ch'io abbia consigliato al Lo Cicero, se non in forma scherzosa e fuggevole, di scrivere per guarire, non rientrando terapie di tal fatta nel metodo mio, né essendo io uso di promettere panacee a chi dolorosamente espia nel suo turbato pensiero le magagne antiche dei padri (nella fattispecie, una lue). Secondo, essere i miei rapporti con l'infermiera Gretchen, di cui nel manoscritto si dice o s'insinua malignamente, di cristallina purezza professionale.

Infine, e per intelligenza di tutti preinformo che i frammenti rossi di racconto paiono per taluno sparso segnale i residui del poliziesco di cui s'era parlato, benché umoresco e pazzotico, come ognuno vedrà.

Mi rafforza in tale credenza la lista dei libri chiesti dal Lo Cicero alla biblioteca dell'Ospedale, tutti gialli di svago o testi di medicina legale, apparsi in seguito postillati sui margini secondo crittografie resistenti ad ogni ricerca. Opera d'altro tenore da lui ritirata e mai restituita, risulta *Le chef d'oeuvre inconnu* di Balzac, che non vedo però cosa potesse giovargli, essendo in traduzione tedesca e a lui quindi inintelligibile...

VOCI DI PIANTO
DA UN LETTINO DI SLEEPING-CAR

Allora, Signore...

Sono in questa cabina, "singolo speciale" la chiamano, una scatola di un metro e mezzo per due, alta diciamo due metri e un quarto. Nudo e solo nella notte, portato da un cieco binario a una più cieca città, dove mi reco soltanto per poterne ripartire. Nudo e solo nella notte, sdraiato su un materasso a braccia conserte, aspettando, io che nessuno aspetta in nessun posto del mondo, aspettando... chi, se non Te?

Te, Tu... La maiuscola è Tua di diritto, immenso assente che stai nella tenebra, inesistente che mi esisti dentro per metafora d'inesistenza, invisibile che vedo in ogni bagliore di stazione che fugge, in ogni acetilene di galleria che vampeggia, in ogni lampo rosso o verde di semafori e scambi; che intendo nella litania delle ruote, tatatùm, tatatùm, *Honky Tonky blues*, Odeon a 78 giri, e nel prato c'era la luna... Signore, che parole allineo senza misura né senso, così solo per tenermi compagnia, per essere meno solo soliloquiando con Te...

Ho regolato secondo il mio gusto la lancetta del termostato. Ho spento le tre luci di dotazione: la *veilleuse* dietro la nuca, il grande neon del soffitto, il piccolo tubo sopra lo specchio. Ho esitato come sempre davanti alla batteria dei pulsanti, timoroso di premere per sbadataggine quello che serve a domandare il caffè. Ho abbassato la tendina sul vetro del finestrino. Ho fatto ruotare ermeticamente il pomolo della maniglia, il bigliettaio me l'ha tanto raccomandato, vi sono delinquenti notturni che addormentano i viaggiatori con una zaffata di spray e li derubano inerti. Né sapeva quanto a me gioverebbe dormire, pur derubato; quanto cambierei volentieri questa mia solità dolorosa con la visita d'un ladrone...

Eccomi dunque qui sprofondato nella pece della notte, salvo la fosforescenza superstite dell'orologio sul polso; al sicuro da tutto, fuorché dal tempo; nascosto a tutti, fuorché all'arbitrio della Tua mira e alla Tua distratta veggenza.

E ora? Signore, da quanti anni duelliamo senza vederci... come un cane che combatte con l'ombra della sua coda. E l'un contro l'altro imbracciamo due armi inconfrontabili e per ciò stesso l'una e l'altra invincibili: Tu il privilegio Tuo di non essere; io quello opposto di essere, di occupare con le mie membra questo aleatorio cubo d'ossigeno e idrogeno che fa le veci del vuoto... Un battibecco da sordo a muto, di parole contro silenzio. Sebbene poi non siano nemmeno parole, le mie, ma un lagno, un mugghio, un urlo che si confonde col fischio del treno, con questo miserere infinito...

Ho pensato una volta di averti colto sul fatto. Avevo sentito uno stropiccìo di passi, un respiro rauco dietro l'uscio della mia stanza. Inginocchiandomi a osservare dal buco della serratura, mi parve di scorgere, dall'altra parte del legno, vicinissima ma divisa dal breve spessore, una ghiacciata pupilla. Ho aperto di colpo: non c'era, naturalmente, nessuno.

Non per vantarmi, Signore, ma sto morendo. Non esiste, se scorro alfabeticamente il dizionario di medicina, un morbo che io non abbia avuto o non desideri avere. Collezionista incallito, vorrei possederli tutti ad un tempo, dall'asma alle zecche. Vorrei che il mio corpo si rivoltasse intero contro la sciocca velleità che lo adesca a star bene. Sto morendo, Signore, e ho tardato fin troppo, sono stato scavalcato, una mano straniera ha contraffatto turni e scadenze. Quando tutto pareva chiamarmi da dispari a farmi pari nella incombente, pastosa equanimità della morte. Ché, se anche solo a pochi dei tanti chiamati fosse riservato l'anticipo, io m'illudevo assai di poter passare dogana: com'era giusto per uno che circonvennero a nascere in flagrante incapacità d'intendere e di volere; e che ospitarono *au pair* sulla terra, benché ritrosissimo degli indigeni e delle loro leggi e costumi.

Tatatùm, tatatùm... Signore, come vedi, io non dormo. Le mie insonnie devono essere cominciate nel ventre materno, ho saltato il coma amniotico. Si vede ch'ero impaziente, va poi a capire perché! Oppure fu prudenza, è talmente pericoloso dormire: un arrendersi, mani e piedi legati, a uno spione, a un mellifluo nemico. Io, le volte che ci casco, vivo quegli scarsi minuti con un allarme segreto, ripetendomi, in una nicchia dell'incoscienza, che qualunque mio più innocente minuzzolo di visibilio potrà essere usato domani contro di me, più decisivamente di un'impronta di pollice sul calcio di una pistola. Forse la colpa è del medico, che m'inquisisce al risveglio, e pretende che tutti i fiumi che guado nel sogno, e le cunette in cui ruzzolo, adombrino la mia radicata, citatissima tanatofilia... Mentre io gli obietto che tutti, da quando nasciamo, siamo incinti della nostra morte; e che è ragionevole cosa, nonché naturale, volersene sgravare morendo. Un parto, è la morte; o, se si preferisce, un'evacuazione. Per cui non smetto di stupirmi che gli uomini non si sentano tutti, come io mi sento dai piedi ai capelli, ridondanti sopra la terra. Più strano trovo che lui, ch'è scienziato, non avverta, un istante dietro l'altro, crepargli dentro a milioni le cellule donde è fatto; e la cilecca finale listargli malaugurosamente di nero le unghie; e che non abbia naso a fiutare, in ogni alito suo e mio, il lezzo di un aspirante cadavere... Signore, diglielo tu che il creato non è se non una balbuzie, uno sgarro; e altrettanto io e lui; e Tu stesso... Mentre vivere è una tale balenante e febbrile stranezza!

(Quanto poi al sospetto che Tu sia solamente un sicario e che il mandante sia un altro... questa, come dicono oggi, è pura dietrologia...)

Andrea Gothelf, il moribondo di sonno, che conobbi in clinica a Coira un anno di questi tempi, e col quale in un volenteroso macaronico straparlavo ogni sera del nostro male comune, mi disse sul Tuo conto cose non belle, che non intendo ripetere. M'invitò nella sua camera, mi ricordo, e si mise in libertà, fu quasi una lezione d'ortopedia: occhio di vetro sul comodino, dentiera dentro il bicchiere... Temevo che si smontasse sino a sparire. Non fu così, ma in qualche modo si sciolse, si sbaraccò. A parole, quanto meno. Sulla sua vita andata a male, un brodo fermentato, un vin'aceto imbevibile. Sarebbe morto presto di sonno, il suo caso era senza speranza, cadeva da tutte le parti. Io me lo divoravo con gli occhi: la morte, come ogni altra esagerazione, non finisce di appassionarmi. Tanto più la sua, ch'era una morte speciale, un'anteprima probabile della mia. Quindi lo guardavo, mi muovevo fra le sue cose come in un simulatore per apprendisti astronauti, cercando di abituarmi a quell'aria di delicata catastrofe... Lui mi mostrava i francobolli della sua collezione, Lussemburghi, Montecarli, Andorre, le emissioni più rare. Io non sapevo che dire, fischiettavo un *Ranz des vaches* per adulare la nazione ospite. Ma lui: "La mia inimicizia col mio corpo è totale," disse adagio. "Non vedo l'ora che il corno alpino mi chiami."

Dico la verità, non vedevo l'ora nemmeno io. Lui aveva la stanza più bella, con moquette e vista sull'alpe, non mi sarebbe spiaciuto, salv'ognuno, occuparla.

Signore, io divago, ma in realtà non serve a nessuno dei due fare finta di niente: Tu sei in causa quanto me, la Tua sorte e la Tua salute sono nelle mie mani... Poiché, se è vero che a me spetta solo la parte di pupo vociferante, agìto dalle Tue mani e doppiato dalle Tue labbra di ventriloquo macchinista, non è meno vero che, appena io Ti manco, Tu anche t'eclissi, ti sgonfi, ti riduci a una larva di fumo, a un'eco intermittente e fuggiasca. Abbi dunque pietà di me: la stessa che io nutro per Te. E tienimi compagnia, finalmente senza disprezzo, all'interno di questa notte corsara, che attraverso, eterodiretto, verso il nome e il centro di un punto. È quel che desideravo: che il mulinello che mi governa prendesse una decisione... Benché poi io mi chiedo: Tu sei quel mulinello o quel punto? il bersaglio della mia traiettoria o l'arciere che lo colpisce?

In attesa di saperlo, séguito a vergare cartelli di sfida e a strapparli. Guerreggio da disertore la mia guerra di posizione. Adultero i fatti, trucco il linguaggio. Mi nego, ma come si negano le donne sotto un lampione. Mi abbandono, ma incrociando le dita dietro la schiena...

Signore, fammi dormire. Oppure fammi morire.

Gretchen, il giorno prima di separarci, che fu la domenica di Pasqua, m'insegnò il gioco dell'uovo, che faceva da bambina. Si avvolge un uovo oblungo e pizzuto dentro una buccia di cipolla, e si stringe tutt'attorno con una fettuccia di stoffa. Poi si mette a bollire finché si rassodi, e si espone, sottoterra, in un formicaio ai vischiosi succhi delle formiche. Qui esso si corazza e diviene abile a misurarsi nel cozzo contro ogni altro simile guscio rivale. "Lo stesso," Gretchen mi disse, "avresti dovuto fare tu col tuo cuore, prima di giocare alla vita."

Non aveva torto, forse. Signore, se è tempo ancora, avvolgi questo tuorlo e albume molle ch'io sono, in un velo di cipolla; e incappuccialo con una pezzuola di seta; e accendigli sotto una fiamma; e sotterralo presso un cespuglio, dentro un nido di amiche formiche...

Intestatus obiit... Di me non si potrà dirlo, non faccio che rilasciare dichiarazioni d'intenti, chiacchiere a futura memoria. Senza temere che il chiasso ne sia per turbare il pacifico zero che diverrò. Sono questi gli assegni a vuoto con cui ripago i Tuoi doni. Moneta falsa contro cartastraccia, chissà di noi due alla fine chi avrà frodato più l'altro... Sebbene non è questo che conta... Poiché io la mia parte, dopo tutto, credo d'averla fatta. Opponendo ad ogni aborto e ircocervo; ad ogni irragione, sragione, dado spaiato; ad ogni meteorismo e deformità del possibile... opponendo, cercando di opporre, il pugno chiuso della Ragion Sufficiente e la sua quadruplice nocca. Epperò che potevo farci, se ogni volta, come in un gioco dell'oca, qualcuno mi rimandava alla casa di partenza? Se mi sentivo dilaniato, diviso, non meno gassoso di un angelo o di una fenice? Se di tanti bocconi e frustoli, non riuscivo a rifarmi uno? Com'è stato difficile essere me, com'è stato misterioso. Talvolta anche bello, qualunque cosa io stesso abbia mai pensato o detto altrimenti. E sì che cento volte, come un brutto film o un sogno bisbetico, avrei voluto lasciarmi a mezzo. Interrompere, interrompersi è salutare. Sconcludere, che c'è di meglio? Ho dunque bisogno di dirti che la presente cartolina di monco, scritta con le dita dei piedi, finirà con i soliti puntini di sospensione?

Signore, mi fa male la vita. Come una carie, un trigemino. E cerco dove posso tamponi, etere, bende. Ma la corda s'accorcia, si fa più stretta la cruna dell'ago, non vanno né su né giù le figure del mio teatro da matto. Mi riuscisse una volta, seduto ai Tuoi piedi, di poter fare il buffone. Coi sonagli, il costume pezzato, le scarpe, una rossa e una nera...

Signore, aiutami. Fra una fermata o due ci lasciamo...

Signore, Signore...

INDICE

TASCABILI BOMPIANI
Periodico settimanale anno XIV numero 478 - 2/1/1989
Registr. Tribunale di Milano n. 133 del 2/4/1976
Direttore responsabile: Giovanni Giovannini
Finito di stampare nel gennaio 1990 presso
il Nuovo Istituto Italiano d'Arti Grafiche - Bergamo
Printed in Italy